Jana Simon
Sei dennoch unverzagt

Jana Simon

Sei dennoch unverzagt

Gespräche mit
meinen Großeltern
Christa und Gerhard Wolf

Ullstein

MIX
Papier aus verantwortungsvollen Quellen
FSC® C083411
www.fsc.org

2. Auflage 2013
Ullstein ist ein Verlag der Ullstein Buchverlage GmbH
ISBN 978-3-550-08040-1

Satz: Pinkuin Satz und Datentechnik, Berlin
Druck und Bindearbeiten: CPI – Clausen & Bosse, Leck
Printed in Germany

Für Nora

Inhalt

9 Vorwort

15 Berlin-Pankow, 22. August 1998

73 Woserin, 31. Juli 1999

111 Woserin, 22. März 2008

163 Woserin, 25. März 2008

205 Berlin-Pankow, 18. Mai 2008

239 Woserin, 18. Juli 2012

257 Familienübersicht

259 Wichtige Daten und Veröffentlichungen Christa und Gerhard Wolf

263 Anmerkungen

283 Dank

Vorwort

»Liebe Jana, dies wird vielleicht ein etwas selbstsüchtiges Weihnachtsgeschenk, aber ich denke mir, Du bist (so gut wie) erwachsen, und da wird es langsam Zeit, Dich mit meinem Geschriebenen zu behelligen.« Zu Weihnachten 1988 bekam ich ein Geschenk von meinen Großeltern, die Bücher meiner Großmutter, ihr Werk, elf Bände lagen unter dem Weihnachtsbaum im Berliner Amalienpark. Heiligabend verbrachte die Familie immer bei ihnen, die Tanne reichte bis zur Decke, und mein Großvater kochte für die ganze Familie Reh oder Kaninchen. Auf die ersten Buchseiten hatte meine Großmutter jeweils mit schwarzem Kugelschreiber kleine Texte an mich geschrieben – was sie in jener Zeit bewegt, was sie gedacht und was sie gefühlt hatte. Ich war damals 16 und von dem Geschenk nicht gerade begeistert. Eine Madonna-Platte hätte mir besser gefallen.

Zu Hause wuchtete ich die elf Bände in mein Regal, und dort blieben sie. Ab und an zog ich eines der Bücher heraus, wog es in meiner Hand, und manchmal las ich es auch. Am meisten berührten mich diese kleinen Texte. Ich empfand sie als Angebot meiner Großeltern, mir etwas über sich zu erzählen, auch wenn ich das in jener Zeit noch nicht zu schätzen wusste.

Damals, 1988, lebten wir in der DDR, in Ostberlin. Es war das letzte Weihnachten, bevor dieses Land untergehen sollte, und meine Großmutter hatte gerade eine lebensbedrohliche Bauchfellentzündung überstanden.

Auf den ersten Seiten von *Der geteilte Himmel* schrieb sie: »Ich war zwischen dreißig und vierunddreißig Jahre alt, in vielem naiver, als selbst ihr sechzehnjährigen es heute seid …« Dieser Satz wird sich wie ein Motiv in verschiedenen Variationen durch unsere Gespräche ziehen, die wir viele Jahre später führen.

Ein Jahrzehnt nach jenem Weihnachten, 1998, fing ich an, mich mit meinen Großeltern zu treffen, um mich mit ihnen über ihr Leben zu unterhalten. Die DDR existierte nicht mehr – das Land, mit dem meine Großeltern eng verbunden waren und das ich nur noch bei seinem Zusammenbruch beobachtet hatte.

Im Jahr 1998 war ich 25 Jahre alt, meine Großeltern waren fast siebzig. Ich hatte das Gefühl, zu wenig von ihnen zu wissen, die Zeit nach dem Mauerfall erschien mir wie eine atemlose Abfolge von Monaten und Tagen, ein Dasein im Rausch. Ich war gereist, hatte studiert und gerade angefangen, als Reporterin beim Berliner *Tagesspiegel* zu arbeiten. In jener Zeit telefonierte ich oft mit meinen Großeltern, meist mit meiner Großmutter, da mein Großvater eine Abneigung gegen längere Telefongespräche hegt. Wir hielten uns auf dem Laufenden, über das Gegenwärtige. Was meine Großeltern tatsächlich bewegte, was ihr Leben ausmachte, über ihre Kämpfe der Vergangenheit erfuhr ich wenig. Damals dachte ich, wenn ich einmal Kinder hätte, wüsste ich gern mehr über meine Herkunft, über unsere Familie, über die Konflikte. Über zehn Jahre hinweg trafen wir uns immer wieder, unterbrochen von langen Pausen. Als 2008 meine Tochter Nora geboren wurde, brachen die Gespräche ab. Im Juli 2012 redete ich noch einmal mit meinem Großvater allein.

Zu Beginn dachte ich nicht an eine Veröffentlichung, diese Idee entstand erst im Laufe der Jahre. Es war als privates Familienprojekt geplant. Später wurde mir bewusst, dass meine Fragen vermutlich Fragen sind, die viele Enkel an ihre Großeltern haben: Fragen an eine Generation, die den Krieg, die Flucht und zwei Diktaturen erlebt hat, an eine Generation, die es bald nicht mehr geben wird.

Meine Fragen sind nicht objektiv und können es nicht sein. Ich frage als Enkelin, nicht als Journalistin. Ich bereitete die Gespräche auch nicht besonders vor, las zuvor keine Bücher, Artikel oder Interviews, aus denen ich schlau hätte zitieren können. Es sollte privat bleiben. Tatsächlich hatte ich nicht jeden Schritt meiner Großeltern genau verfolgt, hatte nicht jedes ihrer Bücher studiert, und wir waren nicht immer einer Meinung. Manche Themen streiften wir nur oberflächlich, manche gar nicht, andere besprachen wir ausführlicher und mehrmals. Gespräche sind selten vollkommen, aber sie können ein Bild geben, einen Eindruck vermitteln.

Über die Jahre entsteht aus meinen Fragen ein Dialog der Generationen – auch wenn es auffällt, dass meine Großeltern weniger von mir wissen wollen als ich von ihnen. Ein bisschen liegt das in ihrem Verdacht begründet, meine Generation sei unpolitisch und somit nicht sehr interessant. Während sie sich ihr Leben lang politisch einmischten, mitmischten.

Beim Verfassen der Anmerkungen für dieses Buch bemerkte ich, wie viele Bekannte, Freunde oder Kollegen meiner Großeltern unter dem Nationalsozialismus gelitten hatten, entweder im KZ, im Exil oder im Widerstand gewesen waren und wie viele von ihnen danach in der DDR wieder in große Konflikte gerieten. Diese Kämpfe der Vergangenheit, wie sich Schriftstellerkollegen, Freunde, enge Vertraute gegenseitig anfeindeten, aus ideologischen Gründen, sind für mich Nachkommende in ihrer Radikalität und Existentialität kaum noch zu begreifen.

»Du warst unser erstes Enkelkind, ich ging mit Dir in Kleinmachnow spazieren, Du hattest eine Schaukelmanie, hängtest Dich an jede Stange: Laukeln, Laukeln!«, schrieb meine Großmutter 1988 auf die ersten Seiten von *Kindheitsmuster* über die frühen siebziger Jahre. Im Prinzip nehmen diese kleinen Textstücke unser späteres Projekt vorweg. Es sind Versuche, Erfahrungen für die nächste Generation zu bewahren. Erinnerungsfetzen.

Ich sehe meine Großeltern in Neu-Meteln in ihrem Mecklenburger Sommerhaus, das sie ausgebaut haben. Ich bin vielleicht drei, vier Jahre alt, trage rote Gummistiefel und fürchte mich vor den vielen Schmetterlingen im Hof. Meine Oma schreibt auf einem Podest unter dem Dach, von ihrem Tisch blickt sie auf die Obstbäume im Garten, ein idealer Arbeitsplatz. Mein Opa sitzt ein Stockwerk darunter neben dem Kamin und tippt auf seiner Schreibmaschine. Abends kommen Freunde zu Besuch, wir essen an langen Tafeln. Unbeschwerte, heiße Sommer. Scheinbar. 1983 brannte das Haus in Neu-Meteln ab.

Ich erinnere mich, wie ich ihnen einmal mit zehn ein etwas pathetisches Gedicht schenkte mit dem Titel »Wozu lebt man«, das nur aus Fragen bestand. Meine Großeltern zeigten sich begeistert. Es war das erste Mal, dass ich die bestärkende Kraft des Geschriebenen spürte.

Als Teenager besuchte ich in den achtziger Jahren oft mit Freunden ihre Wohnung in der Berliner Friedrichstraße. Meine Eltern besaßen einen Schlüssel. Meist waren meine Großeltern nicht da, aber sie hatten einen Videorekorder und das berühmte Schubfach in einer Kommode, gefüllt mit Schokolade. Sie waren stets sehr beschäftigt, keine Großeltern, die auf ihre Enkel mit Pudding und Kuchen warteten, obwohl besonders mein Großvater bis heute ein grandioser Gastgeber ist.

Unvergessliche Momente: der Blick meines Großvaters, als er entdeckte, dass eine meiner Freundinnen in Michael-Jackson-Bettwäsche schlief. Die erste gemeinsame Westreise mit meinen Großeltern 1990 nach Brüssel und Amsterdam. Der Sommer 2001, in dem ich bei ihnen im neuen Sommerhaus Woserin mein erstes Buch schrieb über einen Freund, der sich das Leben genommen hatte. Ihre goldene Hochzeit, zu der sie sich von mir eine Eismaschine zur Herstellung von »Eisschnee« wünschten, um ihren Lieblingscocktail Margarita zu vervollkommnen. Die vielen Tabletten auf dem Frühstückstisch meiner Großmutter und das zunehmend besorgte Nachfragen meines Großvaters nach ihrem Befinden. Meine Tochter Nora, ihr erstes Urenkelkind, bei ihnen im Pankower Wohnzimmer, meine Großmutter singt: »Wie das Fähnchen auf dem Turme«. Die diamantene Hochzeit im Sommer 2011, die unanfechtbare Beziehung meiner Großeltern, noch einmal versammelt sich die Familie in Woserin. Jeder erzählt eine Geschichte über sie.

Im Herbst 2011 besuche ich meine Oma im Krankenhaus, als es ihr schon sehr schlecht geht. Es ist ein schöner, warmer Tag. Sie liegt im Bett, zur Unselbständigkeit gezwungen, und hält das *Zeit*-Magazin mit einem Artikel von mir über Los Angeles in der Hand. In dieser Stadt hat sie in den Jahren 1992/93 einmal gelebt, und ich wohnte dort mit meiner Familie 2010/2011. Meine Großmutter fragt nach, hat Formulierungen unterstrichen, die ihr gefallen. Wir nehmen uns vor, einmal ausführlicher über die USA, über Los Angeles zu reden, ein letztes Gespräch. Dazu kommt es nicht mehr.

Am Ende meines Besuches sagt sie, die Familie wünsche, dass sie sich bemühe weiterzuleben, sie wisse aber nicht, ob sie noch könne. Darauf kann ich nichts erwidern. Natürlich möchte ich, dass sie versucht weiterzuleben, aber ich möchte auch nicht, dass sie sich weiter quälen muss in einer Existenz, die ihr nicht mehr entspricht. Meine Oma lächelt mich an. Gern hätte ich sie gefragt, was ihr durch den Kopf geht, denkt sie an den Tod? Und wenn ja, was? Hat sie Angst? Ich traue mich nicht, diese letzten Fragen zu stellen. Ich mag ihr nicht zu nahetreten. Das Thema Tod spielt in all unseren Gesprächen kaum eine Rolle.

Am 1. Dezember 2011 stirbt meine Großmutter. Kurz darauf stehe ich vor meinem Regal, dort im obersten Fach liegen die Werke meiner Großeltern. Seit 1988 sind einige Bände hinzugekommen. Ich sehe mir die Bücher an und lese noch einmal die kleinen Texte von meiner Oma darin, um mich auf die Trauerrede vorzubereiten. Zu ihrer Beerdigung hat mein Großvater eines der Lieblingsgedichte meiner Großmutter von Paul Fleming ausgesucht: »Sei dennoch unverzagt«. Dieses Buch trägt diesen Titel. Ich finde, er passt zu meinen Großeltern, und er trägt auch als Gedanke für ihre Enkel – trotz Schwierigkeiten und Widerständen weiterzumachen, nicht aufzugeben.

Zu Weihnachten 1988 schrieb mir meine Großmutter bedauernd in ihren Essayband *Die Dimension des Autors*: »So gebe ich mich widerwillig mit dem Gedanken zufrieden, wie vieles zu seiner Zeit Wichtige in jedem Leben auf Nimmerwiedersehen verlorengeht …« Etwas davon bleibt nun erhalten.

Berlin-Pankow, 22. August 1998

Das erste Mal treffen wir uns in der Wohnung meiner Großeltern im Nordosten Berlins. Es ist früher Nachmittag, die Sonne scheint, die hohen Bäume des Amalienparks tauchen die Zimmer in schummriges Licht, werfen Schatten auf die Pflanzen, die Gemälde an der Wand und die Bücherregale, die bis zur Decke reichen. Wir sitzen im Wintergarten, es gibt Kuchen, Kaffee und Tee. Alle paar Minuten hören wir das laute Dröhnen der Flugzeuge im Landeanflug auf Tegel. Meine Großmutter hat auf einem Korbstuhl Platz genommen, sie trägt eine Seidenbluse, ihre schwarzen Haare reichen bis zum Kinn, neben ihr wartet mein Großvater; die Brille auf seine Nasenspitze gerückt, betrachtet er mich über die Gläser hinweg. Meine Großeltern sind fast siebzig, ich bin 25. Gerade habe ich begonnen, als Journalistin zu arbeiten. Das Aufnahmegerät liegt vor mir, eines, das mit Kassetten funktioniert. Meine Großeltern schauen mich erwartungsvoll an, sie wissen nicht genau, was ich vorhabe. Ich hatte angekündigt, dass ich mit ihnen über ihr Leben sprechen will.

JS Ich weiß gar nicht viel über euch, über eure Vergangenheit.

CW Dann lies einfach *Kindheitsmuster*!

JS Das habe ich. Aber da steht nicht alles drin, und ich würde es gern von euch hören.

GW Ich wollte mit deinem Cousin Anton[1] dieses Jahr nach Thüringen, nach Bad Frankenhausen zur 1000-Jahr-Feier fahren und ihm meine alte Heimatstadt zeigen, aber wir haben keine Zeit. Damals, als ich ein Junge war, hatte Bad Frankenhausen 8000 Einwohner, ein Sole-Schwimmbad, ein Heim für Asthmakranke, das nach dem Krieg ein Kinderheim war und von Christas Vater, Opa Ihlenfeld[2], geleitet wurde. Bei Frankenhausen gibt es den berühmten Schlachtberg, wo 1525 die aufständischen Bauern besiegt wurden.

Mein Vater war in der Partei gewesen und Buchhalter beim Reichskriegerbund. Nach dem Krieg durfte er nicht mehr in seinem Beruf arbeiten. Er musste auf einer Domäne in der Landwirtschaft helfen. Die brauchten Arbeiter, und die kleineren Nazis wurden dorthin geschickt. Danach kam er in eine Knopffabrik, Knöpfchen drehen, später wurde er dann wieder Buchhalter.

JS Wie war das für dich, dein Vater war NSDAP-Mitglied, und du warst nicht in der Hitlerjugend, oder?

GW Doch. Im Gegensatz zu Christa war ich aber kein begeisterter Hitler-Anhänger. Ich passte nicht in die Hitlerjugend. Damit verknüpfe ich eher traumatische Erinnerungen: Einmal führte uns der Fähnleinführer ins Schwimmbad und warf alle Nichtschwimmer einfach ins Wasser, wo sie absoffen. Die Fähnleinführer, das waren große, kräftige Kerle, und ich war ein kleiner, dünner, blonder

[1] Die Anmerkungen beginnen auf Seite 263.

Junge. Manche lernten dann mit Eifer schwimmen, aber ich weigerte mich, hatte so eine Abwehrhaltung, die sich noch verstärkte, als mein Vater im Krieg wieder heiratete. Meine Mutter war 1938 an Brustkrebs gestorben, da war ich zehn. Und mein Vater hatte seine neue Frau Felicitas, genannt Feechen, durch einen Feldpostbrief kennengelernt. Das war eine richtige Nazi-Frau, sie trug das goldene Sportabzeichen und wollte mich auch gleich wieder zum Schwimmen schleppen. Aber ich machte nicht mit.

JS Was hat dein Vater gearbeitet?

GW Mein Vater gehörte wie Opa Ihlenfeld zu den Jahrgängen, die noch im Ersten Weltkrieg gekämpft hatten. Er war ganz jung und Kriegsfreiwilliger gewesen. Dann fiel ihm gleich das Maschinengewehr auf den Knöchel, fortan saß er immer in Schreibstuben. Übrigens wollte er einmal Journalist werden, der Einzige in der Familie. Die anderen waren alle Handwerker, mehrere Generationen Büchsenmacher in Suhl. Die waren nie im Krieg, sondern haben Gewehre gebaut. In den Sommerferien besuchte ich meine Onkel, die nahmen mich mit in die Fabrik, und mit einem Cousin habe ich dort einmal Gewehre eingeschossen. Da saß ich in so einem Graben, über mir knallten die Schüsse hinein, und ich zeigte an, wo sie hingingen. Das hat mir sehr imponiert. Nach dem Ersten Weltkrieg wurde mein Vater in das Hunderttausend-Mann-Heer übernommen, war Unteroffizier in einer Schreibstube, später war er im Stahlhelmbund, eine Organisation von Frontkämpfern, die dann in der SA aufging. Da hatte mein Vater schon eine kleine Stelle als Angestellter im Finanzamt. Und er war ein sehr guter Stenolehrer.

CW Ich habe bei ihm Steno gelernt.

GW Er hat damit Preise gewonnen. Er war der typische kleine Mann, der in der SA landete. Das war seine Partei. Er war Jahrgang 1896, machte wie Christas Vater im Zweiten Weltkrieg den Polenfeldzug mit und war ganz kurz in Frankreich. Danach wurden sie als alte Herren zunächst entlassen.

CW Mein Vater blieb Soldat in der Schreibstube des Bezirkskommandos, aber er konnte abends nach Hause kommen. Über seine graue Soldatenhose zog er einen weißen Kittel und ging noch in unseren Kaufmannsladen in Landsberg, um meiner Mutter zu helfen, die das Geschäft im Krieg weiterführte.

JS Wie hast du das erlebt, Opa, dass plötzlich eine neue Mutter in die Familie kam?

GW Sie war streng. Alles war sehr reglementiert. Einer musste Schuhe putzen, der andere staubsaugen. Wir haben neulich übrigens einen ganz untertänigen Brief von mir an sie gefunden. Das muss ich gemacht haben, damit ich einen guten Stand bei ihr hatte.

JS Du mochtest diese neue Frau nicht besonders?

GW Nein, aber mein Bruder Dieter[3] hat ebendiesen Brief gefunden, in dem ich die »neue Mutti« begrüße. In dem ich schreibe: »Gut, dass wir wieder eine Familie sind.« Ziemlich brav und unterwürfig.

CW Ganz gefühlstriefend.

GW Was mich selbst erstaunte, weil es ja nicht der Wahrheit entsprach. Sie bekam dann 1942 noch ein Kind mit meinem Vater. Das war der Halbbruder Helmut, der 1987 bei einem Autounfall tödlich verunglückte.

JS Von ihm hast du mir noch nie erzählt. Bist du mit ihm aufgewachsen?

GW Nicht mehr richtig. Ich ging bald weg. Mit 15 Jahren wurde ich als Luftwaffenhelfer eingezogen. Wie jung wir da waren! Mein Vater war Buchhalter beim Kyffhäuserbund geworden, und deshalb zogen wir auf das Rathsfeld nahe Frankenhausen. Da hatten wir zum ersten Mal eine schöne Wohnung in einem alten, modern renovierten Haus mit Bad und Wassertoilette. Das war dort damals selten.

JS Augenblick mal, das geht mir zu schnell. Du wurdest mit 15 in den Krieg geschickt, wo wurdest du eingesetzt?

GW Zuerst in Erfurt, am Rande der Stadt standen 4er-Flakbatterien gegen Tiefflieger. Es gab einen großen Angriff, dabei wurden ein paar Jungs verwundet. Dann wurden wir an die Saale-Talsperre verlegt. Die Engländer hatten zuvor im Westen die Edertalsperre mit einem Torpedo zerstört, und nun sollten alle anderen Talsperren geschützt werden. Wenn Alarm ertönte, nebelten sie das ganze Tal ein, so dass man nichts sehen konnte. Wir saßen auf den Bergen ringsherum, und von Bergkuppe zu Bergkuppe hing ein Netz mit kleinen Sprengkörpern darin. Dort passierte nicht viel. Bis Januar 1945. Dann wurden wir alle an die Front, an die Oder geschmissen. Hier standen viele Flakbatterien großen Kalibers, die hatten aber kaum Munition. Die Russen hatten mit einem Brückenkopf schon die

Oder überquert, sonst war sie die Frontlinie. Da war Stillstand bis zum großen Angriff am 16. April, bei dem sie mit dem größten Trommelfeuer des Zweiten Weltkriegs auf uns schossen. Ich lag vor Bad Freienwalde, und wir flohen nördlich an Berlin vorbei zu den Amerikanern.

JS Hast du da noch an einen Sieg Deutschlands geglaubt?

GW Nein. Die Amerikaner waren schon in Thüringen. Es gab aber noch Einzelne, die erzählten: »Der Führer hat die Wunderwaffe! Da ist noch was! Der Krieg kann doch nicht verloren sein!« Und dann geriet ich in Gefangenschaft. Oben in Mecklenburg, noch auf östlicher Seite der Elbe. Alle strömten dorthin. Es hieß: Weg von den Russen, hin zu den Amerikanern. Es ging über Eberswalde bis hoch nach Mecklenburg, immer parallel zu den Flüchtlingstrecks. Wir saßen auf einem alten Feuerwehrwagen. Gewehr und Stahlhelm warf ich weg. Als die Amerikaner uns gefangen nahmen, hatte ich schon nichts mehr. Die Amerikaner ließen uns ein improvisiertes Lager aufbauen und Stacheldraht um ein Kiefernwäldchen ziehen. Es gab zuerst ein Frühstückspäckchen – Kekse und Zigaretten – für drei Mann. Wir hatten aber noch ein paar Konservenbüchsen im Rucksack. Nach 14 Tagen wurden wir jungen Burschen auf die umliegenden Bauernhöfe verteilt, um zu helfen. Dort kriegten wir ordentlich Bratkartoffeln und Milchsuppe. Wir waren drei Thüringer und brachen dann eines Morgens nach Hause auf. Wir haben uns quasi selbst befreit. Uns hat auch keiner aufgehalten, weil wir wirklich junge Bürschchen waren. Das war im Mai 1945 …

CW Wieso, am 8. Mai war doch erst die Kapitulation.

GW Davon erfuhren wir auf dem Weg nach Hause.

JS Warst du erleichtert, dass der Krieg vorbei war?

GW Ja, man wollte nach Hause. Viele, die früh nach Hause kamen, wurden von den Russen noch einmal geschnappt und gerieten erneut in Gefangenschaft. Es herrschte großes Durcheinander.

JS Hast du an Hitler geglaubt, du hast im Krieg für ihn gekämpft?

GW Ich war Telefonist, richtig gekämpft habe ich also nicht. Das ist hochinteressant, einige Jahre später arbeitete ich als Dramaturg an dem Film *Ich war neunzehn* von Konrad Wolf[4] mit. Seine Familie hatte in Russland im Exil gelebt, und er kämpfte auf Seiten der Russen. Im Krieg lagen wir beide uns 1945 an der Oder gegenüber, und ich hörte deren Agitation über Funk, die spielten deutsche Schlager und forderten uns auf, die Waffen niederzulegen. Diese Parolen trafen bei uns auf völlig taube Ohren. Sollten wir über die Oder schwimmen oder was?

JS Und mit wem hast du immer telefoniert?

GW Ich habe Strippen gezogen, Leitungen zwischen den einzelnen Abteilungen gelegt. Manchmal wurden wir dabei auch von den russischen Fliegern beschossen. Und unsere Batterie hatte einen Decknamen …*(überlegt)* nicht Birke. Nein, Weide!

JS Das heißt, du hast damals an den Nationalsozialismus geglaubt?

GW Du, das ist eine komische Frage! Was heißt geglaubt? Wir haben uns an der Front darüber unterhalten, dass die Amerikaner schon in Eisenach standen, fragten uns: Was soll das eigentlich alles noch? Wie kommen wir nach Hause? Was ist los? Das waren die Fragen, die uns bewegten.

JS Hattest du Angst um dein Leben?

GW So eine richtige Urangst hatte ich eigentlich nie. Ich saß im Trommelfeuer in einem Erdbunker, und ich hatte keinen Stahlhelm auf, hatte mir nur so einen Brattiegel über den Kopf gestülpt. Ich dachte, der schützt irgendwie. Bis 16. April 1945 war es ruhig gewesen. Als es dann losging, zog sich die ganze Batterie sofort zurück. Ich weiß gar nicht mehr, ob es überhaupt noch Befehle gab. An eine Begebenheit kann ich mich erinnern, aber nicht mehr an den Ort, an dem das geschah. Da haben wir uns eingegraben und Geschütze aufgestellt. Mich stellten sie sogar an ein Maschinengewehr, womit ich mich überhaupt nicht auskannte. Dann kamen die Russen, liefen in Reihen auf uns zu, und die Kugeln surrten. Gott sei Dank gab es den Befehl, dass wir Fernsprecher wegrücken sollten. Ich war froh, wir rannten, und die Kugeln pfiffen um uns herum. Unserer Batterie passierte aber nicht viel, die gaben ein paar Schüsse ab, sprengten die Kanonen und setzten sich ab. Ich saß in einem Funkwagen, neben mir verblutete ein Mann, er war ganz bleich im Gesicht, und das Blut sickerte aus seinem Arm. Dann erschien ein Ritterkreuzträger und wollte uns alle aufhalten. Er schoss in die Luft, schrie, wir sollten uns verteidigen. Es war ein völliges Durcheinander. Die Flucht war sehr abenteuerlich.

Als ich 1945 nach Hause kam, wurden wir vom

Rathsfeld vertrieben. Die Russen machten ein Lazarett aus dem Schloss. Innerhalb eines Tages mussten wir unsere Wohnung räumen und alles auf den Anhänger eines Treckers laden. Wir hausten in Frankenhausen wie Flüchtlinge ein halbes Jahr in einem Klassenraum.

JS Wusstest du zu dieser Zeit, dass es Konzentrationslager gab? Hattest du davon irgendetwas mitbekommen?

GW *(überlegt)* Das ist sehr schwer zu beantworten.

CW Ich wusste es.

GW Da müsste ich sehr genau überlegen. Gesprochen wurde darüber sicher kaum.

CW Bei uns hießen die KZs, wenn die Erwachsenen darüber sprachen – Konzertlager.

JS Wieso Konzertlager?

CW Meine Eltern führten ein Lebensmittelgeschäft, in dem sehr viele Menschen ein und aus gingen und miteinander redeten. Vieles sollte ich als Kind natürlich nicht mitkriegen. Es muss 1935 oder 1936 gewesen sein, dass ich das erste Mal dieses Wort hörte. Mein Vater sagte es selbst: Ein Kunde, der Mann von Soundso, der sei jetzt aus dem Konzertlager gekommen, aber die dürften ja nichts erzählen. Das merkte ich mir, weil es von einem Geheimnis umgeben war und von etwas sehr Ungutem. Man spürte es daran, wie leise die Erwachsenen darüber sprachen, sie flüsterten. Dass es KZs gab, das wusste man.

JS Konntet ihr euch etwas Konkretes darunter vorstellen?

CW Nein, überhaupt nicht.

GW Das ist ganz schwer genau nachzuvollziehen. Ich weiß noch, dass wir gleich nach dem Krieg mit Freunden in Bad Frankenhausen in das Stück des Schriftstellers Günther Weisenborn *Die Illegalen*[5] gingen. Darin verarbeitete er seine Zeit im Widerstand gegen die Nazis. Darüber lachten wir nur.

CW Ja?

GW Wir hatten nach dem Krieg aber gute Lehrer, der eine, der Deutschlehrer, ein Sozialdemokrat, war in Buchenwald gewesen. Da wusste man dann, dass es so etwas wie das KZ Buchenwald gab. Vor dem Krieg war das kein Gesprächsthema. Es ist ganz schwer zu sagen, was man rational wusste oder was man vielleicht auch nicht wissen wollte. Das Attentat vom 20. Juli 1944 auf Hitler sickerte zum Beispiel durch. Ich war ja Fernsprecher. Es war sehr geheimnisvoll und merkwürdig, wie sich die Offiziere verhielten. Dass sie keine Stellung nahmen. Das war so ein lufttoter Raum, das weiß ich noch ganz genau.

CW Also der 20. Juli verlief bei uns so. Mein Vater war noch im Wehrbezirkskommando und bekam abends einen Anruf mit irgendeinem Codewort. Ich weiß, dass er sehr erschrocken reagierte und sagte, er müsse sofort los, es sei etwas Schlimmes passiert. Zwei Tage später wurden wir alle – Hitlerjugend, Jungmädel, BDM – auf dem Marktplatz meiner Heimatstadt Landsberg an der Warthe[6] versammelt. Wir standen dort in einem Riesenkarree, und die

Sturmbannführer hielten ihre Reden: Der »Führer« sei gerettet, die Vorsehung habe uns den »Führer« erhalten. Die Attentäter stellten sie als Verräter hin.

JS Alles andere habt ihr erst nach dem Krieg erfahren? Wie haben diese furchtbaren Enthüllungen auf euch gewirkt? Das muss doch ein Schock gewesen sein!

CW Es war vernichtend. Na pass mal auf, was ich zum Beispiel vorher wusste oder ahnte, ist, dass die Juden verfolgt wurden. Meine Tante Grete hatte nach damaliger Einschätzung einen jüdischen Touch – dunkle Haare, gebogene Nase. Sie war eine aparte Frau und hatte einen Mann, den sie wahnsinnig liebte. Aber der hatte eine Geliebte. Deshalb trennte sich Tante Grete von ihm. Eines Tages kam sie zu uns und sagte: »Stellt euch vor, diese Geliebte verbreitet, dass ich Jüdin bin!« Das war in den dreißiger Jahren eine Katastrophe. Ich war noch klein, vielleicht sieben Jahre alt, und bekam einen furchtbaren Schreck. Ich ging in die Küche, setzte mich auf den Kohlenkasten. Meine Mutter fragte: »Was ist denn?« Ich sagte: »Ich will keine Jüdin sein.« Da sagte meine Mutter: »Um Gottes willen, woher weiß das Kind, was eine Jüdin ist.« Ich will damit nur andeuten, es lag etwas in der Luft. Aber ich könnte heute nicht sagen, woher ich mit sieben Jahren wusste, dass es gefährlich ist, Jüdin zu sein.

GW Bei uns gegenüber wohnte Fräulein David, die ich sehr mochte, weil sie mir Bauklötzchen geschenkt hatte. Sie war plötzlich nicht mehr da. Darüber wurde aber nicht gesprochen. Und in Frankenhausen lief ein Ehepaar mit dem gelben Stern herum, ältere Leute, sie taten einem leid, und es war merkwürdig …

JS … eben das meine ich, man muss sie doch gesehen haben!

GW Man sprach nicht darüber.

JS Aber man muss doch die Läden mit der Aufschrift »Jude« gesehen haben und die Menschen mit dem Stern.

CW Du, Jana, ich habe niemals einen Menschen mit einem Stern gesehen.

GW Ich nur dieses eine Paar. Als ich einmal auf Urlaub von der Front kam, fuhren wir mit dem Bus vom Rathsfeld nach Bad Frankenhausen zum Einkaufen. Im Bus saß ein älterer Mann mit einem Judenstern. Der Bus war voll, und meine Stiefmutter Feechen sagte laut: »Na, die deutschen Frauen können ja stehen, wenn die Juden sitzen!« Ich fand das grässlich. Das war doch ein alter Mann.

CW Ich habe gesehen, wie die Synagoge in Landsberg brannte. Es ist mir heute noch unbegreiflich, wie ich davon erfuhr. Diese Szene habe ich auch in *Kindheitsmuster* beschrieben. Jedenfalls bin ich in die Altstadt gegangen. Ich trug einen Trainingsanzug, und da brannte die Synagoge. Das Bild, das ich behalten habe: Männer in langen Gewändern, mit Schläfenlocken und Käppis auf dem Kopf, die ich zuvor noch nie gesehen hatte, retteten Gegenstände, goldene Fässchen, aus der brennenden Synagoge. Es wurde nie wieder darüber gesprochen. Als ich vor kurzem noch einmal in Landsberg war, sah ich, das ganze Viertel ist weg.

JS Was hast du damals gedacht?

CW Ich hatte Mitleid, ich war ein sehr mitleidiges Kind. In meiner Gegenwart durfte man keine Geschichten erzählen, in denen Unrecht geschah. Ich fing sofort an zu heulen. Als ich *Kindheitsmuster* schrieb, versuchte ich, die Judenvernichtung für Landsberg einigermaßen zu rekonstruieren. Das gelang mir nur bis zu einem gewissen Grad. Meine Familie war anders als Gerds, wir hatten einen Laden, ein Haus …

GW … ihr standet mehr in der Öffentlichkeit.

CW Wir standen innerhalb des Kleinbürgertums eine Stufe höher. Gerds Vater war ein kleiner Angestellter, meiner immerhin Kaufmann. Im Grunde hatten sie natürlich dieselbe Mentalität. Mein Vater war sehr kommunikativ. Aber meine Eltern hatten eigentlich keine Freunde. Sie luden keine Leute ein oder gaben Essen so wie wir heute. Das gab es bei uns überhaupt nicht.

JS In der Familie wurde nie über Politik geredet?

CW Doch!

GW Na, mit den Kindern nicht. Mein Vater hat mir ja nicht einmal gesagt, dass meine Mutter gestorben ist. Da gab es eine völlige Sprachohnmächtigkeit, und ich war sehr isoliert, habe viel gelesen.

CW Bei uns war es etwas anders. Unsere ganze Familie wohnte in derselben Stadt. Meine Großeltern mütterlicherseits kamen noch weiter aus dem Osten. Meine Mutter wurde in Bromberg geboren. Beide Großväter arbeiteten bei der Eisenbahn, zum Stolz der Familie. Der Großvater, der nach Landsberg versetzt worden war, hatte die großartige Funktion, am Fahrkartenschalter Fahrkarten zu knipsen.

GW Die Eisenbahn, die neuen Bahnlinien waren ein großer Industrialisierungsschub.

CW Meine Großeltern wohnten in der Kesselstraße in einer Baracke, sie waren sehr arm. Meine Oma hat die Familie durchgebracht, sie hat Ziegen und Kaninchen gehalten und geschneidert. Das wurde mir als Kind natürlich nicht gesagt. Der Vater meiner Mutter, Opa Hermann, ging einmal im Monat seine Rente abholen. Eines Tages war ich dabei, als die Oma ihn entließ, sie sagte: »Komm aber gleich nach Hause!« Einen Schnaps durfte er sich genehmigen, er hielt sich aber oft nicht daran. Eine tiefe Verletzung meiner Mutter war, dass sie sich als Kind von dem Eisenbahninspektor demütigen lassen musste, damit ihr Vater nicht entlassen wurde.

Meine Mutter kam in die Mittelschule, sie war begabt. Aber mein Vater war ganz besonders begabt für alles, er war in der Volksschule immer der Primus. Sein Lehrer ging zu meinem Großvater und sagte: »Dein Sohn ist so schlau, der braucht die Mittelschule.« Mein Opa entgegnete, das käme gar nicht in Frage, sein Sohn solle nichts Besseres werden, nicht aus der Familie ausscheren. Er hat es meinem Vater nicht erlaubt, aber er selbst konnte kaum lesen und schreiben. Dieser Lehrer hat meinem Großvater Nachhilfe gegeben. Die Familie meines Vaters stammt aus Westpreußen, die Verwandten hatten alle einen kleinen Tülüteti. Wenn sie uns besuchen kamen, war ich vollkommen von ihnen fasziniert, weil sie lauter Blödsinn veranstalteten. Onkel Heinrich zum Beispiel oder Tante Emmi – wenn wir Geburtstag feierten, dann hatte sie immer so ein Pupskissen. Kennst du das? Sie hat sich daraufgesetzt, und mitten in der Familienfeier ging es Kawufff!

JS Das heißt, dein Vater war nicht auf der Mittelschule. War das ein Problem?

CW Meine Mutter war dort und er nicht. Das hat unterschwellig immer eine Rolle gespielt. Meine Mutter hatte ein bisschen Fremdsprachenunterricht genossen, und wenn mein Vater ein Wort auf Französisch falsch aussprach, hieß es: »Aber Otto!« Er war ja in französischer Kriegsgefangenschaft gewesen. »Bestoß mich doch nicht immer«, war seine Antwort. Ich habe den Eindruck, die Hochzeit der beiden war so etwas wie das letzte Aufgebot für meine Mutter. Als sie ihn heiratete, war sie schon 26, das war für damalige Verhältnisse spät. Mein Vater hatte sich ausgelebt, er war 29. Sie war eine sehr selbständige Frau, Buchhalterin in einer großen Käsefabrik. Sie konnte sich selbst versorgen. Nachdem meine Eltern geheiratet hatten, betrieben sie den Laden.

JS Wo haben sich die beiden denn kennengelernt?

CW Auf einem Fest bei einer Freundin meiner Mutter. Otto hat sich an Hertha herangemacht. Er hat ein bisschen getrunken, und als sie gehen wollte, bestand er darauf, sie nach Hause zu begleiten, aber sie wollte nicht. Er begleitete sie dennoch. Meine Mutter setzte ihn dann auf den Stein in ihrem Vorgarten, und als sie wenig später aus dem Fenster sah, war er schon weg. Aber sie machte sich die ganze Nacht Gedanken: Wo ist der hingegangen in seinem Suff? Er war in den Stadtpark getorkelt und hatte dort auf einer

Bank übernachtet. So geht die Familiensaga. Am nächsten Morgen wurde er von einem Polizisten aufgestöbert. Er machte sich nur kurz zurecht, rief von seinem Betrieb aus bei meiner Mutter in der Käsefabrik an und fragte sie, wann sie sich wieder treffen könnten. Das hat meiner Mutter anscheinend imponiert.

GW Erzähl mal die Lechner-Geschichte!

CW Das ist eine Familiengeschichte, die ich erst viel später erfahren habe und die mich sehr beschäftigt hat. Als ich *Kindheitsmuster* schrieb, befragte ich meinen Vater viel zu unserer Familie, und er erzählte Folgendes: Die Schwester meiner Mutter, Tante Elfriede, eine sprühende Frau, hatte mehrere Fehlgeburten. Das war in der Familie bekannt. Es hieß, sie könne keine Kinder kriegen. Ihr Mann, Onkel Maxe, war Prokurist beim Kohlenhändler Wiedemann. Und auf einmal war sie schwanger. In unserer Familie wurde über Sexualität überhaupt nicht gesprochen. Das kannst du dir heute gar nicht mehr vorstellen, wie man da lauscht und versucht, alles aufzuschnappen. Das Baby war ein Siebenmonatskind. Ich wollte natürlich gern mehr erfahren, aber niemand erzählte mir etwas. Es gab eine Nottaufe. Gerhard, so hieß das Kind, kam durch. Mein Vater ließ später durchsickern, dass bei uns in der Familie das Gerücht umging, dass der Gerhard gar nicht das Kind von Onkel Maxe war, sondern von dem jüdischen Arzt der Tante Elfriede, Doktor Lechner. Ich habe das in *Kindheitsmuster* nur angedeutet. Ich beschreibe eine Feier, wo Doktor Lechner, den ich Doktor Leitner nenne, neben meiner Tante sitzt. Nach der Veröffentlichung gab es deswegen ein Riesentheater mit einem Vetter. Jahre vergingen, und auf einmal bekomme ich Anfang der achtziger Jahre einen Brief aus Kanada, der beginnt mit den Zeilen: »Und aus seinen Finsternissen tritt der Herr, so weit er kann, und die Fäden, die zerrissen, knüpft er alle wieder an.«[7]

GW Wir suchten noch, von wem das ist! Goethe?

CW »Liebe Christa Wolf«, stand da. »Es schreibt Ihnen Doktor Leitner.« Lechner war 1936 aus Deutschland geflohen. Ich antwortete ihm sofort, schon im zweiten Brief wurde klar, er ist tatsächlich der Vater von diesem Gerhard. Er kam dann extra einmal nach Deutschland, und wir trafen uns in Westberlin. Ein ganz nobler Mensch. Er erzählte, er habe Tante Elfriede immer vor seiner Praxis auf und ab gehen sehen, und eines Tages stand sie vor seiner Tür. Er sagte: »Gnädige Frau, Sie wissen, dass ich Sie nicht behandeln darf.« Seine Praxis war schon vom Marktplatz verdrängt worden, er durfte nur noch jüdische Patienten nehmen. Tante Elfriede habe geantwortet, das mache nichts, ihr Arzt sei auch Jude, aber im Urlaub. Doktor Lechner stellte fest, dass bei Tante Elfriede alles in Ordnung war. Dass sie keine Kinder bekam, hatte psychosomatische Ursachen. Sie war eine unglückliche Frau.

GW Das war verrückt. Die beiden wohnten dann im selben Haus. Bei der Tauffeier vom kleinen Gerhard saß Doktor Lechner auf dem Platz von Onkel Max …

CW … bei der Tauffeier hieß es: Jeder dürfe sich ein Lied wünschen, und die anderen würden es für ihn singen. Doktor Lechner wünschte sich »Am Brunnen vor dem Tore« – also das deutscheste aller deutschen Lieder. Und diese deutsche Familie sang dieses Lied für den jüdischen Arzt. Ich habe meinen Vater gefragt: »War das nicht gefährlich?«

Er sagte: »Ach Gott, nein, das war der Arzt von Tante Elfriede, und wir wussten, dass sie ihn sehr schätzt.« Das sei ein sympathischer Mann gewesen, der ihr sehr geholfen habe, das Kind zu kriegen.

Wir müssen alle lachen. Dann ist für einen Augenblick Stille.

JS Wie ging das weiter?

CW Doktor Lechner war in der »Reichskristallnacht« in Berlin, kehrte nach Landsberg zurück, und da waren alle Juden der Stadt in die Turnhalle der Mittelschule gebracht worden. Er musste auch dorthin. In seiner Tasche hatte er aber eine Ausreisegenehmigung für Amerika. Er wurde verhört, dafür waren zum Teil alte SPD-Leute zuständig. Lechner sagte, er habe schon die Überfahrt, ihm fehle nur noch die Schiffsfahrkarte. Man ließ ihn ziehen. Im November 1938 brachte Tante Elfriede ihn zum Bahnhof, und er ging fort. Nach dem Krieg ließ meine Tante ihn durch das Rote Kreuz suchen. Er lebte in Chicago und war inzwischen verheiratet. Sie schrieben sich zwei-, dreimal, dann brach sie den Briefwechsel ab. Sie wollte nicht in seine Familie eindringen. Später schrieb sein Sohn Gerhard ihm und fragte, ob er ihm ein Darlehen für sein Studium geben könne. Lechner schickte ihm tatsächlich Geld und hörte nie wieder von ihm.

JS Was für eine traurige Liebesgeschichte.

CW Ich weiß nicht, wo Gerhard heute lebt. Diesen Briefwechsel müsste man einmal veröffentlichen, aber wegen des Sohnes habe ich es bisher nicht gemacht.

JS Oma, bei dir war es etwas anders als bei Opa, du warst aus Überzeugung Mitglied im Bund Deutscher Mädel.

CW Absolut. Als ich eintrat, wurde die Hitlerjugend gerade Staatsjugend, da musste jeder hinein, aber mich hätte man nicht drängeln müssen. Ich war zehn Jahre alt und wollte dahin.

JS Warum, was war für dich das Faszinierende daran?

CW Mich hat … ja … der »Führer« fasziniert.

JS Die Person oder was er gesagt hat?

CW Ich habe am Radio gesessen und seine Reden gehört – dieses Gebell und dieses Deutsch. Jana, du musst dir vorstellen, ich hatte schon in der ersten Klasse einen überzeugten Nationalsozialisten als Lehrer, einen SA-Mann, der in Uniform in die Schule kam. Er gab Religionsunterricht und hat Jesus Christus als Vorläufer unseres »Führers« dargestellt. Er hat uns beigebracht, dass Deutschland durch Verrat den Ersten Weltkrieg verloren hat, durch den Verrat von Juden und Kommunisten. Dann sei dieses »Schanddiktat« von Versailles gekommen, und jetzt endlich richte sich Deutschland wieder auf. Der »Führer« sei da, um das deutsche Volk zu neuen Höhen zu führen. Ich empfand das als etwas Aufbauendes, als etwas, das einen stolz machen konnte.

GW Mit einem Ruck flaute auch die Wirtschaftskrise ab. Es gab einen Aufschwung. Man hatte das Gefühl, es ging aufwärts, vorwärts, wohin, wusste man ja noch nicht …

CW Na gut, das habe ich als Kind nicht so wahrgenommen. Bei mir kommt eine Eigenschaft hinzu, die bei Gerd viel schwächer ausgeprägt ist. Ich war unglaublich begeisterungsfähig. Ich wollte mich für etwas begeistern, an etwas glauben. Ich erinnere mich, wie ich mich mit einer Freundin, die genauso dachte wie ich, auf dem Schulhof unterhielt: Na ja, die jetzige Generation wird noch nicht so sein, wie der »Führer« sie will. Aber wenn wir erwachsen sind, werden wir so sein, wie der »Führer« uns haben will. So einen Quatsch haben wir erzählt, mit neun, zehn Jahren.

JS Und wie dachtet ihr, dass der »Führer« euch haben will?

CW Als deutsche Frauen und Mütter. Als Menschen, die sich begeistern können, als Menschen, die für Deutschland leben und auch sterben würden. Es gab diese furchtbare Linie im Nationalsozialismus: diesen Todeskult.

JS Es ging darum, sich aufzuopfern?

CW Es gibt ganz düstere Lieder und Gedichte: »Deutschland muss leben, und wenn wir sterben müssen«[8], diese Losung hing im Zeichensaal meiner Schule.

GW »Wer leben will, der kämpfe also, und wer nicht streiten will in dieser Welt des ewigen Ringens, verdient das Leben nicht – Führerwort«. Das stand in den Poesiealben.

JS Waren das Sprüche, oder hat sich eure kindliche Seele wirklich dafür begeistert, sich aufzuopfern?

GW Darüber dachte man nicht so nach.

CW Zum Kriegsende, als wir 15, 16 Jahre alt waren, gab es welche, zu denen wir nicht gehörten, die noch in den letzten Kampf für Hitler zogen.

GW Es gibt Bilder, auf denen zu sehen ist, wie Hitler ganz kleine Jungen mit dem Eisernen Kreuz auszeichnet.

JS Wie seht ihr das im Nachhinein: Aufbruch in ein neues Deutschland – das klingt, als wärt ihr schon damals sehr politisiert gewesen.

CW Politisiert in einem primitiven Sinn. Wirklich etwas von Politik verstanden habe ich natürlich nicht. Was haben wir überhaupt gewusst? Sieh mal, wenn du in deinem ganzen Umfeld nicht einen einzigen Menschen hast, der dir erzählt, was tatsächlich in der Welt geschieht, wie sollst du als Kind wissen, was vor sich geht? Wir haben im Radio nur die Nazisender gehört, keine ausländischen Programme. Meine Eltern hatten zu große Angst. Und ich habe als Zwölfjährige das *Schwarze Korps* gelesen, das war eine finstere SS-Zeitung.

GW Das gab es in meiner Familie nicht.

JS Warum gab es das in deiner Familie nicht?

GW Wegen der Sprachohnmächtigkeit. Politik war bis zum Krieg überhaupt kein Thema. Diese neue Mutter, Feechen, wie sie genannt wurde, hatte in einem Heim für behinderte Kinder gearbeitet und erzählte, wie kläglich sie sich bewegten. Für sie waren diese Kinder »unwertes

Leben«, die sich nicht fortpflanzen dürften, die man unfruchtbar machen müsse. Sie war sehr mit einem SS-Mann befreundet und führte richtige Nazibücher bei uns zu Hause ein.

CW *Volk ohne Raum* stand bei uns im Bücherschrank.

GW Als Feechen kam, brachte sie ein »Führerbild« mit. Erst hing Hindenburg bei uns über dem Schreibtisch, dann Hitler.

JS Wie hast du auf sie und ihre Ansichten reagiert?

GW Das war so gar nicht meine Natur, dass ich nun ein kräftiger Sportler und Schwimmer sein sollte. Sie führte ein strenges Regime ein, was wir Kinder alles machen mussten.

JS Es gab nicht viel Liebe?

CW Überhaupt nicht!

GW Später, 1950, ist sie elendig an Krebs gestorben. Sie sagte: »Mit dieser neuen Welt will ich nichts zu tun haben!« Sie hat wohl bis zuletzt an die Nazis geglaubt.

CW Als wir anfingen uns anzunähern, sagte Feechen zu meiner Mutter: »Der Gerhard ist doch kein Familienmensch, die Christa soll sich fernhalten!«

GW Ich bin 1946 nach der Vereinigung von KPD und SPD gemeinsam mit einem Schulfreund in die SED eingetreten. Wir wollten die Alten ärgern. Das war der Hauptgrund. Am Mittagstisch verkündete ich: »Ich bin jetzt in die SED eingetreten.« Meinem Vater fiel der Löffel herunter. »Das wirst du noch einmal bereuen!«, sagte er.

Wir lachen.

JS Ein Prophet!

GW Mein Vater hatte gesagt, er geht nie wieder in eine Partei. Und nun triumphierte ich. Ich war so stolz, eine mutige Tat. Damals war es leicht einzutreten, man brauchte noch keinen Bürgen. Wir waren 18 und hatten nicht sehr viel Ahnung. Der Lehrer Schröder hatte uns imponiert, ein alter Sozialdemokrat, der im KZ Buchenwald gewesen war und Literatur unterrichtete. Aber auch die Lehrer aus der Nazizeit waren nach 1945 zum Teil noch da, der Musiklehrer, der hatte das »schöne« Lied »Die Hakenkreuzfahne« komponiert.

JS Könnt ihr euch an den Tag erinnern, an dem ihr erfahren habt, was wirklich passiert ist – als ihr erstmals von den KZs, von der Judenvernichtung gehört habt?

CW Ein Bild habe ich vor Augen: Ich sehe mich von außen auf einer Bank sitzen und ein Buch lesen, das ganz schlecht gedruckt ist. Der Autor schreibt über Konzentrationslager. Ich schaue auf und denke: Wenn das wirklich so war, dann war alles falsch. Warum habe ich das gedacht? Die Nazis hatten keinen Hehl daraus gemacht, dass sie ihre Gegner vernichten wollten. Die Judenvernichtung in diesem Ausmaß haben die Nazis aber geheim gehalten. Und warum haben sie sie geheim halten müssen? Weil im Hintergrund noch die christlichen Ideale wirkten, das, was man für Anstand hielt, wie man als Mensch sein sollte. All das war nicht mit dem Menschenbild der Nazis vereinbar. Das Kleinbürgertum flog Hitler zu. Andererseits war nur eine gewisse Schicht bereit und in der Lage, als SS-Männer so zu leben und sich zu verhalten, wie der »Führer« es ihnen vorschrieb.

Wir gingen nicht in die Kirche. Ich war konfirmiert worden, meine Oma fand, das gehörte sich so. Meine Mutter war keine Nazigegnerin, aber sie hatte christliche Wertvorstellungen. Sie hat anderen geholfen, zum Beispiel dem Studienratehepaar Lehmann. Es wohnte in Sichtweite von uns und kaufte jahrelang bei meinen Eltern ein. Eines Tages stand Studienrat Lehmann in unserer Wohnstube und war sehr aufgeregt. Ich sehe noch vor mir, wie er sich die Hände reibt und meiner Mutter erklärt, dass er verdächtigt werde, jüdischer Herkunft zu sein. Jüdische Eltern hatten ihn adoptiert. Seine richtigen Eltern waren »Arier«. Er wollte Dokumente finden, um das zu beweisen, denn er war schon aus dem Schuldienst entlassen worden und seine Frau gleich mit …

GW … jede Familie musste einen »Ariernachweis« haben bis ins Mittelalter …

CW … zu diesem Zeitpunkt war ich zwar bereits begeistertes »Jungmädchen«, aber ich hatte wahnsinniges Mitleid mit diesem Mann. Meine Mutter sagte zu ihm: »Sie müssen mir gar nicht alles erzählen. Ich glaube Ihnen, und natürlich kaufen Sie weiter bei uns ein.« Und was hat sie gemacht? Sie schickte meinen Bruder und mich jede Woche zur Englischnachhilfe zu den Lehmanns. Meinem Bruder hat er das Lispeln mit Mohnkörnchen abgewöhnt. Oder meine Mutter hat einmal – und das war wirklich gefährlich – gegen Kriegsende sowjetischen Gefangenen geholfen. Im

Landsberger Stadion waren Baracken für sowjetische Gefangene und Fremdarbeiter errichtet worden. Hinter vorgehaltener Hand wurde erzählt, sie hätten dort nichts zu essen und würden wie die Fliegen sterben. Eines Tages war mal wieder Tante Emmi aus Königsberg zu Gast, saß vor dem Haus, strickte, und ich turnte am Geländer herum. Da kam eine Ukrainerin, die immer für die Offiziersfrau einkaufen ging, und flüsterte mit meiner Tante, die Polnisch konnte. Dann verschwand sie wieder. Erst später, nach dem Krieg, wurde mir erzählt, die Ukrainerin habe meiner Tante gesagt, in dem Lager erwarte ein Mädchen ein Kind und habe überhaupt keine Sachen für das Baby. Als meine Mutter das hörte, hat sie der Frau einen Korb mit zerrissenen Bettlaken und Tüchern gegeben. Ein paar Tage später lag ein Blumenstrauß vor unserem Laden, »Danke« stand auf einem Kärtchen. Wenn diese Aktion herausgekommen wäre, dann wäre meine Mutter weg gewesen.

JS Oma, du erzählst sehr bewundernd von deiner Mutter. Wie haben euch eure Familien geprägt? Gibt es Dinge, die ihr von euren Eltern oder Großeltern übernommen habt?

CW Mein Bruder und ich haben unsere Mutter abgöttisch geliebt, sie fast schon heroisiert. Wenn sie krank war, einmal wurde sie im Krankenhaus operiert, habe ich sofort einen Riesenaufstand gemacht, habe gebrüllt, getrampelt. Meine Mutter sagte zu mir: »Du bist ein richtiges Revolutionsbaby.« Weil ich am 18. März geboren worden war. Sie war die dominante Figur in der Familie, die sich wie eine Löwin für uns schlug. Mein Vater dagegen war weicher, schwächer … eine Eigenschaft, die ich erst später an ihm schätzen lernte. Seine starke Anpassungsfähigkeit hat mich ein bisschen gestört. Aber er war ein guter Mensch!

GW Das war so der typische Anpassungsmensch.

JS Politisch?

CW Nein, überhaupt.

GW Er wollte mit allen gut auskommen.

CW Ich mochte oft nicht, wie er sich an Leute heranmachte. In seinen letzten Jahren konnte ich dann schätzen, dass er sich bis ins hohe Alter diese Freundlichkeit und das Interesse für andere Menschen bewahrt hat. Zeitweilig dachte ich, er könnte ein bisschen mehr den Stolz haben, den meine Mutter hatte. Meine Mutter war sehr stolz, das habe ich von ihr geerbt.

GW Mein Vater hat mit mir nie über meine Mutter gesprochen. Ich habe auch nie gefragt. Dass sie gestorben war, hatte mir unsere Haushaltshilfe erzählt. Ich war sehr wütend. Ich bin selten zornig, aber bei dem Begräbnis meiner Mutter griff ich unsere Nachbarin an und sagte: »Du konntest sie doch nie leiden!« Meine familiären Bindungen waren nicht eng. Ich wollte nur so schnell wie möglich weg.

CW Gerds Haltung war für mich unvorstellbar. Dass er keine Verbindung zur Familie hatte und auch nicht haben wollte. Ich habe meine sehr engen familiären Bindungen erst schwer und mit seiner Hilfe lösen können.

Es ist Abend geworden. Mein Großvater hat das Essen zubereitet. Wir ziehen ins Wohnzimmer um. An den Wänden hängt Kunst, Bilder von Malern, die meine Großeltern kennen oder mit denen sie befreundet sind. Wir sitzen an einem ovalen Tisch, den man ausziehen kann. Bei Festen und Feiern versammelt sich hier die Familie. Wir essen, trinken Wein, den mein Großvater mit Begeisterung ausgesucht hat, und reden weiter.

CW Seitdem ich an *Kindheitsmuster* gearbeitet habe, frage ich mich immer wieder: Warum brach ich zusammen, als ich von der Judenvernichtung erfuhr?

GW Was heißt, du brachst zusammen? Das ist mir immer ein bisschen zu viel!

CW Als ich erfuhr, was die Nazis, die Deutschen wirklich gemacht hatten …

GW Na gut, wie sah der Zusammenbruch aus?

CW Nach der Flucht, als wir in Gammelin gelandet waren, in diesem Dorf in Mecklenburg, weiß ich noch genau, wie wir 1946 meinen Vater vom Bahnhof abholen gingen. Wir hatten uns nach dem Krieg bei meinem Onkel verabredet, dort war mein Vater nach etwa einem Jahr russischer Gefangenschaft angelangt und hatte uns eine Karte geschrieben, dass er käme. Wir hatten uns ein Fuhrwerk geborgt und fuhren zum Bahnhof. Aus dem Zug stiegen auch andere Heimkehrer. Dann stand da dieser Mann mit einer Nickelbrille, die er mit Gummis an seinen Ohren befestigt hatte. Er hatte keine Haare, trug ein abgewetztes, aus mehreren Uniformen zusammengeschneidertes Etwas und war nur noch Haut und Knochen. Meine Mutter war an der Schilddrüse erkrankt und auch nur ein Strich in der Landschaft. Die beiden erkannten sich gegenseitig nicht und liefen aneinander vorbei. Beim zweiten Vorbeimarsch fragten sie: Otto? Hertha? Furchtbar! Ich erkannte meinen Vater auch nicht. Auf der Rückfahrt, als sich unser Wagen dem Bauernhof näherte, saßen mehrere Flüchtlinge am Fenster und sangen »Der Mond ist aufgegangen« zur Begrüßung meines Vaters. Ich fand das grauenhaft. Dann versammelten sich alle in der Küche. In dem Haus wohnten zeitweise fünfzig bis sechzig Leute, Flüchtlinge, KZler. Ich ging als Einzige ins Zimmer und setzte mich auf einen Sessel. Tante Elfriede kam zu mir und sagte: »Lass mal, Christel, das wird wieder. Dein Vater wird wieder der, der er einmal war!«

JS Du hattest das Gefühl, das ist nicht mehr dein Vater?

CW Absolut. Wir schliefen alle in einer winzigen Kammer. Dort hörte ich nachts Kämpfe, mein Vater wollte sich anscheinend meiner Mutter nähern, und sie sagte immer: »Lass doch, Otto, lass doch!« Als ich hörte, wie sich meine Mutter meines Vaters erwehrte, hatte ich Wut auf meine Mutter, denn es war ja immerhin mein Vater und ihr Mann, zugleich habe ich sie auch verstanden. Ich war damals 16.

JS Die Liebe war über den Krieg erloschen?

CW Mein Vater war ein Schrumpelgreis von 85 Pfund. Er aß alles, was die Bäuerin ihm gab, jeden Rest. Ich habe das verstanden. Andererseits fand ich es schrecklich, wie mein Vater jeden kleinen Bissen hinunterschlang. Meiner Mutter ging es, glaube ich, ähnlich.

JS Das war ehrenrührig?

CW Es war demütigend.

JS Wann hast du ihn wieder als Vater akzeptiert?

CW Relativ schnell.

JS Hat er viel aus dem Krieg erzählt?

CW Gar nicht. Als wir in Bad Frankenhausen lebten und er wieder ein reputierter Mann, der Leiter vom Kinderheim, war, als alles wieder in Ordnung, die Familie wieder zusammen war, als alle wieder so aussahen, wie sie sollten, gingen wir einmal gemeinsam spazieren. Und dabei sagte mein Vater zu mir: »Du, Christel, das eine will ich dir mal sagen, der Mensch ist furchtbar, merk dir das!« Diesen Satz hätte ich meinem Vater nie zugetraut, denn im Grunde wollte er immer alles in Ordnung finden.

JS Ich erinnere mich, dass er mir einmal erzählte, da war ich vielleicht zehn Jahre alt, wie er im Krieg verschüttet und gerettet wurde.

CW Das war im Ersten Weltkrieg. Im Zweiten wäre er beinahe verhungert.

JS Wie seid ihr schließlich in Bad Frankenhausen gelandet?

CW Als mein Vater wieder einigermaßen bei Kräften war, erwachte der Instinkt, dass er die Familie ernähren musste. Er arbeitete dann bei einer Versicherungsgesellschaft in Schwerin, und die fragten ihn, ob er nicht Heimleiter werden wolle. Also packten wir unsere Sachen, die wir gerettet hatten – elf Gepäckstücke und einen Rucksack, aus dem ein Pfannenstiel herausschaute. Das Heim in Frankenhausen war eine Villa. Als wir dort ankamen, dachten wir, wir träumten. Darin standen noch Möbel von den SS-Leuten, die zuvor dort gehaust hatten. Es gab sogar Betten. Es war unglaublich! Wir wohnten in der unteren Etage. Von da an hatten wir das Gefühl, wir sind wieder Menschen. Vorher hatten die Flüchtlinge den Bauern immer ihre geretteten Fotos gezeigt: Wir hatten auch einmal ein Haus! Wir hatten auch einmal Geld! Wir waren auch einmal wer!

Mein Großvater beginnt, den Tisch abzuräumen. Zwischendurch klingelt das Telefon. Er ist eine Weile fort. Ich sitze allein mit meiner Großmutter im Wohnzimmer, wir führen das Gespräch fort. Die Frage nach ihrem Zusammenbruch, als sie von den Verbrechen der Nazis erfuhr, bleibt unbeantwortet.

JS Ich würde gern noch einmal zurück zu deiner Flucht aus Landsberg. Kannst du dich an den Tag erinnern, an dem klar war, jetzt müsst ihr fort?

CW Ja, da kann ich mich an jede Minute erinnern. Das war Ende Januar 1945. Schon seit Wochen zogen Flüchtlingstrecks durch unsere Stadt, die noch weiter aus dem Osten kamen. Die Cousins und Cousinen aus Königsberg waren bei uns einquartiert. Unterricht hatten wir keinen mehr. Aus meiner Schule war ein Lazarett geworden, darin wurden auch die Flüchtlinge untergebracht. Wir betreuten sie. Ich schmierte stundenlang Leberwurstbrote. Aber am liebsten kümmerte ich mich um die Kinder und erzählte ihnen Märchen. Dort war eine hochschwangere Frau mit einem vierjährigen Kind. Sie wusste nicht, was sie mit dem Jungen machen sollte. Ich bin nach Hause gegangen und habe gefordert: »Wir müssen diesen Jungen aufnehmen!« Meine Eltern sagten, das könnten wir nicht, dafür habe ich sie gehasst. Sie verschwiegen, dass wir selbst bald weggehen müssten. Es war ein ganz schwerer Winter, und es kamen immer mehr Flüchtlinge. Sie liefen an unserem Haus vorbei durch den Schnee, sie trugen keine Stiefel mehr, die Füße waren wund gelaufen, und immer noch dachten wir, das betrifft uns nicht. Bis ich eines sehr frühen Morgens erwachte und in unserem Flur lauter Säcke standen, voll gestopfte Bettsäcke. Es hieß, gleich kommt Onkel Max mit einem Wagen und wir müssen fliehen! Die Erwachsenen hatten alles geregelt. Onkel Max kam mit einem Trecker und sammelte die ganze Verwandtschaft ein, die Großeltern, die Cousinen, die Schwägerin, alle wurden auf den Wagen gehoben. Ich saß oben auf einem Bettsack, und unten stand meine Mutter und sagte: »Ich bleibe hier!« Sie wollte für unseren Vater das Haus beschützen. Und sie blieb wirklich da.

JS Du dachtest, du siehst sie nie wieder.

CW Ich fuhr aus der Stadt hinaus und hatte zwei Gedanken: Meine Heimat ist verloren, da kommen wir nie wieder hin, und meine Mutter ist verloren, die sehe ich nie wieder.

JS Was hat Heimat damals für dich bedeutet?

CW Diese Stadt, dieses Haus. Daran habe ich sehr gehangen. Meine Mutter lief dann zurück ins Haus, erzählte sie uns später, hängte das »Führerbild« ab, verheizte es und lief zur Kaserne zu einem Freund meines Vaters. Der sagte: »Frau Ihlenfeld, Sie sind noch hier, sehen Sie nicht, was los ist? Landsberg wird nicht verteidigt, morgen sind die Russen hier. Hauen Sie ab!« Ein paar Stunden nach uns floh sie aus der Stadt, aber nun zu Fuß. Später wurde sie vom letzten Postauto, das nach Frankfurt fuhr, mitgenommen. Sie überquerte die Oder und fragte alle, die sie traf, ob sie einen Lastwagenzug von Wiedemann aus Landsberg gesehen hätten.

JS Hattet ihr keinen Treffpunkt verabredet?

CW Nein, wir wussten ja nicht, wo wir langkämen. 14 Tage später hat sie uns in Wittenberge an der Elbe gefunden.

JS Du musst dich doch von ihr verlassen gefühlt haben. Wie hast du dieses Wiedersehen erlebt?

CW Es wurde gefragt: Sind hier Leute aus Landsberg? Der Wiedemann-Treck? Wir lagen auf Stroh in einem Klassenzimmer in einer Schule in Wittenberge. Dann hieß es: Deine Mutter ist da! Ich hätte aufspringen müssen, legte mich aber hin und war ganz starr …

Glücklichsein hat sich bei mir damals in absoluter innerer Leere, innerer Funkstille ausgedrückt. Ich konnte auch nicht weinen, ich habe mich einfach hingelegt und war ganz starr.

JS Ist das heute noch so, oder wann hat sich das verändert?

CW Nein, in Beziehungen zu Menschen will ich mich nicht mehr verbergen. Damals gab es ganz prägnante Situationen, in denen ich mich so verhalten habe. Bewegende und dramatische Situationen, in denen ich wahrscheinlich aus einer Art Schutzmechanismus heraus in eine Starre verfallen bin.

JS Hast du dich deiner Gefühle geschämt?

CW Vielleicht kam das von meiner Mutter. Sie konnte plötzlich in Weinen ausbrechen, in Freude weniger. Ich fürchte, sie hat nicht sehr viel Freude gehabt.

Mein Großvater kehrt vom Telefon zurück.

GW War Honza[9]!

JS Wie war das bei dir, Opa, du musst doch sehr traurig gewesen sein, als du erfuhrst, dass deine Mutter gestorben ist?

GW Ich war sehr traurig. Aber ich hatte vor allem Wut auf meinen Vater, dass er es nicht geschafft hatte, mit mir darüber zu sprechen.

JS Wie sah diese Wut aus?

GW Ich glaube nicht, dass ich sie ihm tatsächlich gezeigt habe. Aber er hat es gemerkt. Ich habe nicht geschrien oder so etwas. Das wäre bei mir gar nicht drin gewesen.

JS Hängt das mit der Erziehung zusammen, Gefühle zu zeigen bedeutet Schwäche? Bist du jemals völlig ausgerastet?

GW Ganz selten.

CW Nein, das ist nicht Opas Sache!

GW Ich habe das mehr in mich hineingefressen, es still mit mir ausgemacht.

JS Ich habe dich niemals wirklich außer dir erlebt. Bist du mal richtig wütend?

GW Ja, da gibt es große Szenen. Im gewissen Sinne bin ich bei den ganzen späteren Parteigeschichten konsequenter geblieben als Christa. Ich bin viel sturer als sie gewesen.

CW Eine ganz typische Sache für Gerd ist, dass er weggeht. Er stellt sich Konflikten nicht oder setzt sich nicht bis aufs Messer mit anderen auseinander. Wenn Leute ihm nicht mehr passen, geht er weg. Als er beim Radio arbeitete und merkte, dass es immer parteiischer wurde, hat er gekündigt. Als 1983 unser Haus in Neu-Meteln[10] niederbrannte, hat er gesagt, das wird nicht mehr aufgebaut. Er geht weg.

JS Ist das eine Flucht?

CW Auch.

GW Als Flucht würde ich das nicht bezeichnen. Das hat mit mir nichts mehr zu tun. Ich kann nichts mehr machen, also ist es für mich erledigt. Auch mit Menschen, die mich enttäuscht haben wie damals Thomas Nicolaou[11], der uns jahrelang für die Stasi bespitzelte, möchte ich nichts mehr zu tun haben.

CW Das geht mir anders. Ich möchte gern noch einmal mit ihm sprechen.

GW Mich interessiert das nicht mehr. Ich weiß ungefähr, was da kommt und wie er reagieren wird.

JS Du kannst es einfach hinter dir lassen?

GW Ja, ich würde ihn auch nicht verfolgen oder anschwärzen. Das ist eine Enttäuschung. Schluss, aus, weg.

CW Ich kenne niemanden, der das so konsequent macht wie er.

GW Als 1956 der Ungarn-Aufstand war und ich noch beim Rundfunk arbeitete, war ich zufällig im Krankenhaus …

CW … zufällig ist gut. Ich kriegte zufällig ein Baby!

GW Nein, mir wurden die Mandeln rausgenommen. Im Zimmer hörten wir die Nachrichten auf allen Sendern. Da war es für mich beim Radio ziemlich gelaufen. Die Leute dort gefielen mir nicht, ich führte nur noch Rückzugsgefechte. Ich war Leiter der Kulturpolitik, das war ein ganz schöner Posten. Ich hätte die Karriereleiter weiter nach oben klettern können. Aber das war nichts für mich, also habe ich gekündigt.

CW Gerd hat einen richtigen Riecher für Leute.

GW Ich vertraue dem ersten Blick bei Gedichten und auch in der Beurteilung von Menschen.

JS Hast du einmal falschgelegen?

GW Vielleicht, aber ich kann mich nicht daran erinnern.

CW Ich wundere mich manchmal, wenn wir neue Leute

kennenlernen, sagt er erst mal gar nichts. Ich denke dann, wir sind einer Meinung. Und plötzlich sagt Opa einen Satz … aha …

GW Christa ist viel toleranter als ich, auch nachgiebiger. Sie bezieht die Dinge oft auf sich und macht sich Schuldgefühle, was ich alles nicht mache.

JS Worauf achtest du denn beim ersten Blick?

GW Das kann ich nicht beschreiben.

JS Was stößt dich ab?

CW Wenn jemand angibt, mehr aus sich machen will, dann ist bei Opa der Faden schon gerissen. Oder wenn jemand nicht »echt« ist.

JS Und was gefällt dir?

CW Wenn jemand für etwas brennt, das gefällt ihm – Maler oder Dichter. Da kann er sehr tolerant sein.

GW Die imponieren mir. Auf die gehe ich auch zu. Der Maler Günther Uecker[12] zum Beispiel, den kannte ich gar nicht persönlich, als ich ihn fragte, ob er ein Blatt für eine Graphik-Mappe zu *Medea* von Christa machen würde. Er kam deswegen 1996 nach Berlin. Als ich ihn vom Flughafen abholte, wusste ich nicht, was auf mich zukam. Wir fuhren die Seestraße hinunter, und plötzlich fing mein Auto an zu qualmen. Die Kupplung versagte. Vor mir hielt ein Wagen mit Türken, die mich beschimpften, weil ich so komisch fuhr. Uecker nahm das alles sehr gelassen hin. Wir stiegen in ein Taxi und fuhren direkt in die Druckerei. Zwischen uns gab es gleich eine sehr große Sympathie.

CW Gerd darf nicht das Gefühl haben, da kommt mal ein Tritt aus dem Hinterhalt.

JS Du umarmst andere auch nicht gern, schiebst sie immer ein Stück von dir fort.

GW Sympathie muss da sein. Bei offiziellen Anlässen gebe ich schon mal ein Wangenküsschen. Ich weiß, das gehört dazu. Die Westdeutschen küssen sich doch ständig auf beide Wangen.

CW Eigentlich ist das nischt für dich!

GW Diese Rituale macht man mit, obwohl man sie eigentlich nicht mag.

CW Opa ist sehr scheu.

GW Den Uecker umarme ich immer, wenn ich ihn treffe.

CW Und mich und die Enkel! Von deiner Cousine Helene[13] und von deinem Cousin Anton sind wir im Augenblick ein wenig entfernt. Sie kommen auch nicht von sich aus auf uns zu. Wenn wir gemeinsam in unserem Haus in Woserin[14] sind, wünsche ich mir immer, dass es mit den Enkelkindern wieder enger wird. Aber dann haben sie Freunde da, gehen angeln, oder Helene liegt in ihrem Zimmer. Sie reden momentan nicht mit uns über Dinge, die sie wirklich betreffen.

JS Das ist das Alter!

CW Ganz genau. Kein Problem.

Kurze Pause.

CW Du warst uns ganz früh ganz nah. Diese Phase mit dir als Baby ist durch nichts aufzuholen, da gibt es auch eine körperliche Bindung, weil ich Muttergefühle für dich entwickelte. Ich habe sehr unter Annettes[15] und Rainers[16] Trennung, unter der Trennung deiner Eltern, gelitten. Ich hatte Angst um dich.

GW Wir hatten zu dir schon in Kleinmachnow und dann in Neu-Meteln eine fortlaufende enge Beziehung.

JS Ich war das erste Enkelkind.

CW Durch die Scheidung warst du als sehr kleines Kind in einer großen Krisensituation. Das habe ich tief miterlebt. In Neu-Meteln schliefst du im Sommer bei uns oben im Zimmer an der Treppe. Abends saßen wir unten und redeten, und du standst immer oben am Geländer in deinem blauen Nachthemdchen und hast gefragt: »Seid ihr alle da?« Das gehörte zu der Krise dazu, dass du Angst hattest, alle würden weggehen, dich verlassen.

GW Und dann Helene damals mit ihrer Augenkrankheit schon als Baby. Oh Gott, was haben wir rotiert, um eine gute Behandlung zu finden. Zu deinem Bruder Benni[17] haben wir momentan nicht so viel Kontakt. Er ist ein ganz Lieber, ich habe immer Angst, dass er einmal furchtbar enttäuscht wird.

CW Dass er so viel von sich erzählt. Ich bin immer ganz gerührt.

GW Weiß Benni schon, was er einmal machen will?

JS Musik, komponieren. Letztendlich wird er wahrscheinlich auch schreiben, vermute ich.

CW Nein! Nein!

Wir lachen.

GW Der Anton kommt sehr nach mir, dem muss man alles aus der Nase ziehen.

CW Wenn man ihn fragt: Wie war's denn? Schön! Was hast 'n gemacht? Och, allerhand! Da kriegst du einen Rappel. Skurrile Anekdoten fallen ihm ein, aber nichts Zusammenhängendes.

GW Früher habe ich Anton und Helene in Woserin jeden Morgen ein Märchen vorgelesen … da kamen sie …

CW … zu uns ins Bett. Und ich habe Helene aus meinem Leben erzählt. Da waren sie uns ganz nah. Im Moment habe ich das Gefühl, sie brauchen uns nicht.

JS Als ich klein war, hatte ich großen Respekt vor euch, ich dachte immer, ich darf euch nicht stören!

CW/GW Ach ja?

JS Wenn ich euch besuchte, fürchtete ich, dass ich zu viel

Raum einnehme: Ich will mit euch zusammen sein, aber eigentlich müsst ihr arbeiten, und ich darf nicht stören!

CW Als du ganz klein warst, hast du deinen Raum ruhig eingenommen.

JS Meine Hauptprägung ist: Man muss immer ganz viel Rücksicht auf andere nehmen, sich einfühlen.

CW Wenn du das jetzt so erzählst, das hat mir meine Mutter auch schon gesagt.

JS Ich glaube auch, das kommt von deiner Seite! Sich so stark zurückzunehmen und in andere hineinzuversetzen, dass sie einem schon fast auf dem Kopf tanzen.

CW Ja, das gehört ganz vordergründig zu dieser Prägung dazu.

JS Diese Sensitivität ist heute beruflich manchmal auch ein großer Vorteil. Ich bemerke die kleinste Spannung im Raum. Wenn man Porträts oder Reportagen schreibt, ist es gut, wenn man viel spürt. Diese Sensibilität für die Regungen und Gefühle anderer kommt vielleicht auch daher, dass sich um mich herum immer alle getrennt haben. Ich wollte gewappnet sein. Da seid ihr wirklich eine andere Generation! Das ist euch nie passiert, oder?

GW Nein, in der Form nicht!

CW Manchmal habe ich mich verliebt. Das war allerdings sehr früh in unserer Beziehung, in Ausländer, in einen Bulgaren und in einen Russen. Aber ich kam nie auf die Idee, dass Gerd und ich uns trennen sollten. Eigentlich hat das unsere Beziehung nicht berührt. Ich wusste, dass ich niemanden finden würde, der mich so genau kennt, der, das, was mir so wichtig ist – die Arbeit und das Schreiben –, begleiten würde. Einmal ganz abgesehen von den Kindern. Ich hatte wirklich großes Glück. Ich habe nie einen Mann getroffen, von dem ich erwartet hätte, dass er genau so passt.

JS Wie ist das bei dir, Opa?

GW Nichts, ist völlig anders!

JS / CW Na wie denn?

Gerhard Wolf schweigt.

CW Darüber redet er nicht, auch nicht mit mir.

JS Wie seht ihr euch gegenseitig?

CW / GW Das kannst du nachlesen in *Er und ich*.[18]

JS Ich finde es schrecklich, dass ich bei meinen Großeltern immer alles nachlesen muss. Ich will es authentisch.

GW Das Authentische ist das, was wir schreiben!

JS Nee!

CW Ich habe mir manchmal überlegt, Jana, was Menschen über zehn, zwanzig Jahre zusammenhalten soll. Sie haben sich irgendwann mal ineinander verliebt. Gut! Dann kommen Kinder. Prima! Aber dann, was wollen sie um Gottes willen noch miteinander, wenn es da nicht irgendetwas gibt, das sie beide gemeinsam interessiert?

Gerd und ich haben nun wirklich über Jahrzehnte hinweg Tag und Nacht über die DDR, über Politik gesprochen. Manchmal haben wir über uns gelacht, weil wir wie ein Paar aus einem schlechten sozialistisch-realistischen Roman wirkten. Wenn wir nachts darüber diskutierten, was die Partei nun wieder angestellt hatte, wie sich die DDR entwickeln müsse und so weiter …

GW Das Verbindende ist das, was wir machen. Das ist wirklich stark. Man will nicht, dass der andere etwas Schlechtes schreibt.

CW Ein wichtiger Punkt ist ein gewisser Humor. Dass man zusammen lachen kann, auch übereinander.

GW Was Christa in *Er und ich* über mich schrieb, hat mir am Anfang gar nicht so gut gefallen.

CW Was heißt, nicht so gut gefallen! Du hast es abgelehnt, es war furchtbar! Ich habe geweint.

GW Das war nach Christas Todeskrankheit 1988, als sie nach der Blinddarmoperation eine lebensbedrohliche Bauchfellentzündung hatte. Dann bekam sie auch noch die furchtbaren Tachykardien und musste gespritzt werden. Im ersten Augenblick dachte ich: Mensch, dieser Text jetzt, wo ich mich so um sie gesorgt habe! Da war ich ganz anderer Stimmung.

CW Du dachtest, das ist zu distanziert.

GW Was ich damals gelitten habe, kam im Text überhaupt nicht vor, war ausgeblendet. Christa hätte ja wirklich sterben können, und das wusste man auch.

CW Daraufhin legte ich den Text weg und schaute ihn lange nicht mehr an.

Mein Handy klingelt. Ich verlasse für einen Augenblick das Zimmer, kehre dann wieder zurück.

JS Das war Frank[19]. Ich habe ihm gesagt, dass er euch und das leckere Essen verpasst. Er geht jetzt zu einer Party.

CW Wie ist das bei dir und Frank, ihr seid nun schon eine ganze Weile zusammen, kannst du mit ihm über alles reden?

JS Ja, er sagt immer: Bleib doch mal locker! Früher war ich oft verkrampft, weil ich niemandem etwas von mir zeigen wollte. Bevor du enttäuscht wirst, erzähl besser nichts. Jetzt bin ich offener. Besonders in meiner Grufti-Zeit, so mit 13, 14, habe ich niemandem vertraut. Und da weiß ich noch genau, Opa, hast du mir einmal aus London so einen tollen dunkelroten Lippenstift mitgebracht. Ich dachte: Mensch, der hat erkannt, was ich jetzt brauche!

GW *(lacht)* Das war mir gar nicht bewusst gewesen. Vielleicht hattest du den ausgesucht? Bei dir hat man das irgendwie akzeptiert, wie ulkig du damals aussahst – die Augen so schwarz geschminkt, die Haare so seltsam toupiert, die vielen Ketten und Ohrringe.

JS Weil ich immer das lebensfrohe Element in unserer Familie war – viel Lachen, immer guter Laune sein.

CW Wie ist das bei dir, Jana? Du strebst doch nicht an, eine politische Journalistin zu werden, sondern beschreibst eher Alltagsprobleme und Menschen. Du willst keine politischen Kommentare schreiben, oder?

JS Nicht unbedingt. Aber nicht, weil es mich nicht interessiert, sondern weil ich nicht der Typ bin, der anderen seine Meinung aufdrängen will. Ich bin Reporterin, ich beschreibe lieber, und dann sollen sich die Leser ihre eigene Meinung bilden.

GW Fuhrwerken die beim *Tagesspiegel* eigentlich mächtig in deinen Texten herum?

JS Wenig. Sie kürzen, ich schreibe oft zu lang. Bei einer Tageszeitung hat man nicht viel Zeit. Ich schreibe meine Texte manchmal über Nacht, am nächsten Morgen müssen sie fertig sein, wenn es aktuelle Geschichten sind.

CW Du wolltest mit Frank doch einmal einen Stammtisch für junge Journalisten gründen und hast erzählt, dass deine Kollegen einfach nicht kamen.

JS Das ist unsere Generation! Irgendwas ist immer wichtiger.

GW So was funktioniert, glaube ich, nur, wenn es ein gemeinsames Ziel gibt.

JS Ich dachte, wir könnten uns über unsere Arbeit austauschen.

CW/GW Eine gemeinsame Sache!

JS Was soll das sein? Es gibt nichts, was wir gemeinsam wollen.

GW Zum Beispiel Europa. Wie stellt ihr euch das vor?

JS Das kannst du vergessen!

CW Und wenn ihr euch zum Beispiel vorgenommen hättet, dass ihr eine Zeitung gründet?

JS Das haben wir einmal versucht Anfang der Neunziger, das hat damals schon nicht geklappt. Man kann nur versuchen, den kleinsten gemeinsamen Nenner zu finden. Große Visionen kannst du nicht entwickeln. Vielleicht wollen wir das auch gar nicht.

GW Das muss aber wieder einmal kommen.

JS Wenn schon ein einfacher Stammtisch, bei dem man sich nur einmal im Monat trifft, nicht funktioniert, dann weiß ich nicht, was gemeinsam klappen könnte.

GW Man muss sich im Beruf durchsetzen?

JS Das müssen wir alle.

GW Aber jeder will es allein.

JS Das ist das Problem.

GW Viele unserer Freundschaften aus der DDR-Zeit sind weg.

JS Keiner ist mehr übrig geblieben?

CW Doch. Volker Braun[20], Christoph Hein[21], Daniela Dahn[22], Jochen Laabs und meine Frauenrunde[23] …

JS Wie kommt das?

CW Was uns damals zusammengehalten hat, ist nicht mehr da.

GW Und was uns unterschieden hat, war zuvor nicht thematisiert worden. Das brach dann mit einem Mal nach dem Mauerfall auf.

JS Was unterscheidet euch jetzt?

GW Günter de Bruyn[24] zum Beispiel, er ist katholisch, hat das früher aber nie betont. In seiner Autobiographie schreibt er nun, dass er über uns in SED-Kreise hineinkam. Dass wir deshalb mit ihm befreundet waren, auf die Idee wären wir nie gekommen. Ich habe das bei einer Buchpremiere für ihn artikuliert.[25] Er wollte nicht darüber diskutieren. Und mit den meisten, die aus der DDR weggegangen sind, ist es abrupt böse geworden. Da ist gar nichts geblieben.

CW Nicht abrupt, aber im Laufe der Zeit. Mit Sarah Kirsch[26] wurde es erst nach dem Mauerfall böse.

JS Warum dann so plötzlich?

GW Wir stimmten politisch nicht überein.

CW Einer der Punkte war der Umgang mit Thomas Nicolaou. Sie war sauer, dass wir nicht sofort, als herauskam, dass er für die Staatssicherheit gespitzelt hat, giftig auf ihn losgingen. Ich habe versucht, ihr das in einem Brief zu erklären. Man muss doch sehen, welche Entwicklung Thomas genommen hat, wo er herkommt. Damals kannten wir auch unsere Akten noch nicht. Dazu kommt ein Aspekt, den ich verstehe. Die Leute, die wie Sarah aus der DDR weggegangen sind, wurden drüben nicht mit offenen Armen empfangen. Dann kommt die Wiedervereinigung, und die Dagebliebenen sollen straffrei ausgehen. Wieso denn? Plötzlich hat man die Geschichte anders erlebt.

JS Habt ihr Thomas einmal wiedergesehen?

CW Im vorigen Jahr hat er angerufen, da war er in Berlin.

GW Einmal hat er einen ganz blöden Brief geschrieben.

CW Zuerst haben wir ihm einen Brief geschrieben und deine Tante Tinka[27] auch. Der Brief von Tinka war sehr emotional, sie schrieb, dass die Kinder so enttäuscht seien. Thomas gehörte zur Familie. Thomas schrieb zurück, die Kinder solle man mit solchen Sachen gar nicht behelligen. Er stritt alles ab und schrieb, dass er für die DDR gewesen sei. Darum ging es aber gar nicht.

Dann rief er einmal an, und ich sagte: »Du, wir müssen doch mal reden, komm doch einmal her.« Ich wollte ihn aber nicht gleich am nächsten Tag sehen, ich wollte mich innerlich ein bisschen auf das Treffen vorbereiten. Ich fragte ihn, wie es ihm in Griechenland gehe. Er sagte, er und seine Frau Carola hätten dort eine Deutschschule eröffnet. Er gab mir die Nummer von Carola. Ich legte auf, wählte sofort die Nummer und hatte sie auch gleich dran. »Hier ist Christa«, sagte ich. Da kam dieses typische »Hach, Christa, hach«. Und dann legte sie auf. Ich wählte gleich noch einmal. Aber sie nahm nicht mehr ab. Ich bin mir sicher, dass Carola erzählt, dass wir sie verleumden, dass Thomas unschuldig ist. Er hatte mir gesagt, Carola habe all diese Enttäuschungen nur sehr schwer ertragen können. »Welche Enttäuschungen meinst du denn?«, fragte ich.

GW Sie muss es eigentlich auch gewusst haben. Thomas hat in seinen Berichten ganze Romane über uns geschrieben. Auch persönliche Dinge über die Töchter.

JS Bei ihm hattest du auf den ersten Blick kein negatives Gefühl?

GW Nein.

CW Aber wir haben es für möglich gehalten, aus seiner Entwicklung heraus. Thomas war als Kind mit seinen Großeltern nach dem griechischen Bürgerkrieg und der Niederschlagung der Demokratischen Armee Griechenlands in die DDR geflohen. Seine Eltern waren Kommunisten. Thomas wuchs zum Teil in einem DDR-Kinderheim auf. Dann studierte er Journalistik in Leipzig. Ich fürchte, da ging das mit der Stasi schon los. Er bangte auch jedes Mal darum, ob er die Genehmigung bekäme, wieder einmal nach Griechenland zu reisen. Oder er hat so getan. Und sicher haben ihn die griechischen Kommunisten auch beobachtet.

GW Wir haben uns ein bisschen dagegen gewehrt zu glauben, dass er so etwas macht.

CW Wir haben gedacht, mit uns macht er das nicht. Wir sind doch so eng befreundet.

GW Er fuhr öfter auf lange Lesereisen, war vier bis sechs Wochen weg. Wir fragten uns, was ist das eigentlich? Wir ahnten, dass sie ihn in der Mangel hatten, bezogen das aber nicht auf uns. Das wollten wir nicht sehen. Er hatte immer etwas Undefinierbares, Undurchsichtiges. Wir haben das auf seine Kindheit zurückgeführt.

CW Zu Recht!

JS Wie habt ihr ihn eigentlich kennengelernt?

GW Bei den Schriftstellern Fred und Maxi Wander[28] zu Hause. Wir waren bei ihnen zu Besuch, und Thomas war auch da. Er hat uns dann 1975 geholfen, das Haus in Neu-Meteln zu finden. Das hat er uns vermittelt. Er wohnte ja ganz in der Nähe.

CW *(zu JS)* Übrigens, hast du heute in der *Berliner Zeitung* gesehen, es soll ein Buch herauskommen, in dem die Verbindung westdeutscher Journalisten mit dem BND thematisiert wird?

GW In den USA kann man Akten kaufen. Ich habe mal zu Günter Grass gesagt, warum verlangen die Westdeutschen ihre Akten nicht? Er sagte, dann gäbe es noch mehr Enttäuschungen, und er würde noch mehr Freunde verlieren. Und der Nachrichtendienst gibt sie auch nicht heraus.

JS Wart ihr sehr enttäuscht von Thomas?

GW Es gab vorher Gerüchte.

CW Die Frau bei der Gauck-Behörde, 1992 war ich das erste Mal zwei, drei Tage allein dort …

GW … wir kamen ziemlich schnell dran. Die Stimmung war sehr aufgeheizt. Ich wurde von Schriftstellerkollegen beschuldigt … Es gab einen IM Hölderlin …

CW Das war eine solche Schweinerei!

GW Die haben gedacht, na, der Wolf hat doch mal über Hölderlin geschrieben[29]. Das wird der sein. Sie verbreiteten das im PEN-Club.

JS Was!?

GW Ohne dass sie etwas in der Hand gehabt hätten. Jemand anderes hatte sich den Decknamen Hölderlin gegeben. Daraufhin habe ich Briefe geschrieben, und wir bekamen schnell Akteneinsicht.

CW Da war aber auch schon klar, dass Gerd nicht IM Hölderlin ist. Am ersten Nachmittag bei der Akteneinsicht in der Gauck-Behörde sagte die Mitarbeiterin zu mir: »Morgen kommen die nächsten Akten. Das wird Sie treffen, da werden Sie einige Enttäuschungen erleben.« Sie kannte alles, sie musste alles vorher lesen und die Namen schwärzen.

GW Ab 1980 sind unsere Akten weg, nur die Berichte von Thomas und die Karteikarten sind bis 1989 da. Die Berichte von Thomas wurden irgendwo anders herausgezogen. Die eigentliche Akte ist weg.

JS Habt ihr nur Berichte von Thomas?

CW Nein, die waren in den Akten mit drin. Wir haben viele Kopien da, einen ganzen Koffer voll.

GW Eigentlich müssten wir noch einmal zur Gauck-Behörde gehen. Sie haben die Abhörprotokolle unserer Telefongespräche gefunden.

CW Wir waren noch einmal einen Vormittag lang dort, danach hat es uns so zum Halse herausgehangen, dass wir nicht mehr hingegangen sind. Auf der Karteikarte gab es eine genaue Aufstellung von dem, was wir in all den Jahren gemacht haben, welche Lesungen, wann, wo, wie. Alles schön aufgelistet.

JS Als ihr die Berichte von Thomas gelesen habt, wart ihr schockiert oder habt ihr das geahnt?

CW Sowohl als auch. Ich hatte mir nicht vorgestellt, dass er so sehr über die Töchter berichtet. Lange Seiten über deine Mutter Annette.

GW Dinge, die keinen etwas angehen.

JS Thomas und Carola haben euch damals bei sich aufgenommen, als das Haus in Neu-Meteln abgebrannt war.

CW Das waren wirklich enge Freunde.

GW Als die Großmutter von Thomas starb, hielt ich noch die Trauerrede.

JS Aber das ist doch totaler Verrat!

CW Nein, das ist Schizophrenie.

JS Meinst du, er ist krank?

CW Nein. Das ist die Krankheit dieses Jahrhunderts.

JS Für mich ist das Verrat!

CW Gut, bleib dabei. Ich kann das nicht so sehen.

GW Das ist zu simpel.

JS Als Kind habe ich in den Sommerferien bei Thomas und Carola gespielt, in der Küche haben wir griechisch getanzt. Ihr wart jahrelang mit ihm befreundet. Und dann erfahrt ihr plötzlich, Thomas hat alles der Stasi berichtet. Er hätte es euch von sich aus nie erzählt. Ich würde, glaube ich, auch sagen, das ist Schizophrenie. Einfach aus Schutz.

CW Hm. *(Pause)* Andererseits haben wir ihm auch viel zu verdanken, die Griechenlandreise 1980, bei der ich für *Kassandra* recherchierte, er uns in sein Heimatdorf einlud und wir bei ihm wohnten.

JS Ich stelle es mir sehr schmerzhaft vor zu erfahren, dass ein Mensch, von dem man denkt, es ist ein enger Freund, Spitzel-Berichte über einen schreibt.

CW Es könnte nie wieder sein, wie es einmal war. Das ist völlig klar.

GW Man kann uns auch vorwerfen, dass wir es viel früher hätten merken müssen. Es gab ja Anzeichen, die wir nicht sehen wollten.

CW Als wir ihn kennenlernten, war Thomas ein ganz treuer Parteisoldat. Wir können uns zugutehalten, dass er unter unserem Einfluss durchaus ins Wanken geriet. Er bekam Zweifel, die waren echt. Das hat dazu beigetragen, dass wir dachten, er habe sich gelöst.

GW Es gibt ganz schwere Vorwürfe gegen ihn, dass er über Leute berichtet hat, die dann ins Gefängnis gekommen sind, in den fünfziger Jahren.

CW Das stimmt wahrscheinlich.

GW Die Berichte über uns sind nicht unbedingt diffamierend, er hat einfach alles aufgeschrieben, was wir so gesagt haben. Entweder hat er Tonbänder mitlaufen lassen oder abends sofort alles notiert.

CW Er hat treulich berichtet: Die sind auf Abwegen, aber trotzdem gute Genossen. Man solle uns nicht so schwer bestrafen.

JS Wart ihr denn damals noch gute Genossen?

CW Nein, wohl nicht!

JS Wart ihr am Ende froh, dass es vorbei war?

CW Dass was vorbei war?

JS Die DDR!

CW Dass sie vorbei war, so wie sie war, ja, darüber waren wir froh. Das ging nicht mehr. Aber damals hatten wir noch, heute würde ich sagen, die Illusion eines möglichen dritten Weges.

GW In der Übergangszeit kurz nach dem Mauerfall gab es den Aufruf »Für unser Land«[30], der sich gegen eine Vereinnahmung durch die Bundesrepublik und für eine eigenständige DDR aussprach. Die Leute vom Neuen Forum hatten uns dazu angestiftet. Sie kehrten von einer Reise nach Bonn zurück, sie waren dort bei Helmut Kohl eingeladen gewesen. Sie sagten: Ihr könnt euch nicht vorstellen, was das dort für Leute sind, wie der Kohl uns behandelt hat, von oben herab.

CW Damals sagte ich: Ist ja schön, wenn ihr denkt, dass ihr so einen Aufruf initiieren müsst, aber es ist zu spät. Ich mach da nicht mit! Und dann fuhren wir nach Leipzig. Ich hatte dort eine Lesung vor Studenten, drei Hörsäle waren voll. Ich erzählte, was ich seit dem Mauerfall gemacht hatte, und mein letzter Satz war: »Die Revolution ist in Leipzig in guten Händen!« Danach kamen die Studenten zu mir: »Frau Wolf, wissen Sie, was los ist? Am letzten Montag gab es auf der Demonstration auf einmal die Losung: Wir sind ein Volk!« Da erzählte ich ihnen von diesem Aufruf »Für unser Land« und dass ich fände, er käme zu spät. Die Studenten forderten mich auf: Machen Sie doch mit. Das ist so wichtig! Als wir wieder in Berlin waren, rief ich Volker Braun an und sagte: »Gut, ich mache doch mit!« Später bekam ich den Textentwurf für den Aufruf. Darin stand sieben Mal das Wort Sozialismus.

Und so fing ich auf einmal an, den Sozialismus rauszuredigieren …

GW … am Ende stand da nur noch »sozialistische Alternative«. Wir hätten aber »basisdemokratische Alternative« schreiben müssen. Sebastian Pflugbeil[31] vom Neuen Forum sagte: »Sozialismus kommt nicht in Frage.« Wir sagten: »Na gut, aber irgendwie müssen wir uns von den anderen unterscheiden.« Wir haben lange darüber diskutiert, es blieb dann bei »sozialistische Alternative«. Man hätte das anders formulieren, deutlicher machen müssen, dass man mit DDR gar nichts mehr im Sinn hatte. Das Schlimmste aber war, dass sich sofort Egon Krenz[32] dem Aufruf anschloss.

CW Das war furchtbar!

JS Meint ihr, dass ihr euch damals vielleicht weit von dem, was das Volk wollte, entfernt hattet? Hättet ihr mich gefragt, ich hätte euch gesagt, dass der Aufruf Quatsch ist.

CW Na gut, immerhin haben noch mehr als eine Million Menschen unterschrieben. Was hat das Volk gedacht: Gehen wir zur D-Mark? Das hätte ich nie formulieren können.

JS Das hättet ihr ja auch nicht formulieren müssen. Intellektuelle spielten in der DDR immer eine sehr große Rolle, wurden ausgebuht oder gelobt wie in der Sowjetunion. Die Bevölkerung achtete und verehrte besonders die Schriftsteller als moralische Instanzen, was die sagten, war bedeutsam, danach richtete sie sich. Das ist jetzt anders. Ich kann mir vorstellen, dass das für euch manchmal schwierig war und ist, ihr habt auch eine Rolle verloren.

CW Damit habe ich keine Schwierigkeiten. Du hast nicht mitbekommen können, unter welcher furchtbaren Anspannung ich die ganzen Jahre in der DDR stand. Das war keine normale Situation. Dauernd hatte ich das Gefühl, im Grunde bist du jetzt gefordert. Manchmal konnte ich aber nicht reagieren, manchmal wollte ich nicht, und manchmal hatte ich auch Angst. Dass dieser Druck von mir abfiel, war wirklich eine Erleichterung. Heute herrscht einfach die totale Leere. Das wird sich vielleicht auch wieder ändern.

GW Die erste große Demonstration, bei der die »Wir sind ein Volk!«-Schilder auftauchten, wurde mächtig von bayerischem Bier gesponsert. In Dresden.

JS Auch wenn das gesponsert gewesen sein sollte. Das war damals der Wille. Ich kann mich erinnern, wie ich selbst der D-Mark entgegenfieberte. Mit meinem damaligen Freund aus Österreich wollte ich Interrail machen, davon hatte ich seit Jahren geträumt – mit dem Zug durch ganz Europa zu reisen. Ich dachte, hoffentlich kommt bald die Währungsunion, sonst habe ich kein Geld.

GW *(lacht)* Also gehörst du auch zu diesem schlimmen Volk!

JS Ja. Doch.

CW Wenn man die Verhältnisse zuvor betrachtet, ist das verständlich.

JS Am Tag der Währungsunion machte ich bei der Zeitung vom Neuen Forum *Die Andere*[33] ein Praktikum.

In der Nähe der Französischen Straße, in der die Redaktion saß, gab es einen Lebensmittelladen, da wurden wie überall die Ostprodukte aussortiert und zum großen Teil weggeworfen. Am nächsten Morgen standen dort Pyramiden von Kellogg's-Cornflakes-Packungen im Schaufenster. Das war surreal. Der Konsum, das Materielle wirkte auf mich zu Beginn sehr stark. Das Alte, die DDR war für mich damals zu Ende. Abgehakt. Ihr habt sie von Anfang an miterlebt, mitaufgebaut, mitgelitten. Ich habe die DDR wie viele meiner Generation nur noch in ihrem Ableben registriert.

CW Nun mach einmal einen Sprung über die acht Jahre von der Währungsunion bis heute. Siehst du irgendwo in dieser jetzigen Welt oder Gesellschaft noch einen Ansatz, der vom materiellen Weg wegführt hin zu anderen Zielen?

JS Im Augenblick sehe ich das nicht. Worauf sich viele noch einigen können, ist Erfolg, eine bestimmte Schicht zumindest. Ich glaube, in meiner Generation sind Anerkennung und Erfolg der kleinste gemeinsame Nenner. Sie zeigen dir, dass du da bist, geben dir das Gefühl, jemand nimmt dich wahr.

GW Bekommst du auf deine Artikel eigentlich Leserecho?

JS Ja, viele Briefe. Man merkt, dass man gelesen wird. Ihr wart in meinem Alter ja schon sehr mit Politik und Partei beschäftigt.

CW Das war extrem.

JS Wie seht ihr meine Generation, die Mitte Zwanzigjährigen, heute?

CW Außer euch Enkeln kenne ich niemanden näher aus der jungen Generation, deshalb traue ich mich nicht richtig, mich dazu zu äußern.

GW Wie erklärst du dir diese Massen bei der Love-Parade, was ist das?

CW Ich kann das nicht verstehen. Ich empfinde das als konzentrierte Leere.

JS Das ist ein ganz anderer Ausdruck von dem, was Leben ausmacht. Ihr hattet etwas, woran ihr geglaubt habt, wofür ihr gekämpft, wofür ihr euch begeistert und worunter ihr gelitten habt. Eine solche Idee gibt es heute nicht. Vielleicht ist das auch gut.

Woserin, 31. Juli 1999

Fast ein Jahr ist vergangen seit unserem ersten Gespräch. Beinahe wirkt es, als hätten wir uns von dessen Intensität ausruhen müssen. Es war schwierig, einen neuen Termin zu finden. Wir haben alle sehr viel zu tun. Mein erstes Berufsjahr ist vorüber, seit einem Jahr bin ich Reporterin beim Berliner Tagesspiegel. *Ich schreibe lange, schnell recherchierte Geschichten über Amnesiekranke, Tagelöhner, Polizisten, die im Internet nach Kinderpornographie fahnden, über meinen ehemaligen Wehrerziehungslehrer. Und meine Großeltern sind stets sehr beschäftigt.*

Den Sommer verbringen meine Großeltern meist in ihrem Ferienhaus. Für ein Wochenende fahre ich nach Woserin in Mecklenburg. Ich will sie besuchen, und wir haben vor, uns weiter zu unterhalten. Als ich ankomme, scheint die Sonne, es ist sehr warm. Mein Großvater steht in kurzen Hosen in der Küche, er kocht Krebse vom Fischer nebenan. Abends sitzen wir lange auf der Terrasse hinter dem Haus vor einer gut gefüllten Tafel, essen, trinken Wein und reden. Es gibt Fotos von jenen Tagen, ein in Sepia getauchtes Idyll. Ein idealer Sommer. Auf einem Bild hält meine Großmutter sogar eine Zigarette zwischen ihren Fingern.

An einem Sonnabendnachmittag gehe ich mit meinen Großeltern vor das Haus, dort liegt unter den Bäumen ein riesiger Findling, er dient als Tisch. Wir schauen in den Garten, vor uns stehen Gläser mit Saft aus selbst geernteten Äpfeln.

JS Wo waren wir beim letzten Mal stehengeblieben?

CW/GW Wissen wir nicht mehr.

JS Ich glaube, wir haben kurz nach dem Krieg aufgehört, als die Verbrechen der Nazis ans Licht kamen, und ihr habt beschrieben, wie ihr euch danach gefühlt habt.

CW Wir waren nach dem Krieg in Mecklenburg auf einem Dorf bei Schwerin gelandet, das habe ich schon erzählt. Ich ging in Schwerin in die Schule, in die zehnte Klasse. Als der 1. Mai 1946 kam, beschloss ich mit einer Freundin, die auch Umsiedlerin war, Folgendes: Wir passen uns nicht an und marschieren nicht unter den roten Fahnen mit! Wir steckten uns Vergiss mein nicht an, liefen ein Stück des Zuges mit und schlugen uns dann in die Büsche. Wir fanden, man müsse doch ein wenig Treue beweisen. In dieser Zeit drang auch die Aufklärung der Naziverbrechen zu uns vor. Ich erinnere mich daran, wie ich in einer Zeitung einen Bericht über ein Konzentrationslager las, der so glaubwürdig war, dass ich es glaubte. Die Bücher über die KZs kamen erst später. Wann kamen die, Gerd?

GW Der Begriff Auschwitz fiel in den frühen Büchern nicht. Das steigerte sich langsam, bis Auschwitz zum Symbol wurde. Das KZ Buchenwald wurde unter den Russen wieder zum Lager. Da waren zum Teil richtige Nazis drin, zum Teil auch nicht. Das ging sehr durcheinander.

CW Du warst in Thüringen. Buchenwald war für dich ein Begriff, für mich überhaupt nicht. Ich hatte nie gehört, dass dort wieder ein Lager existierte.

GW Auf dem Rathsfeld, wo wir während des Krieges wohnten, war im Schloss Rathsfeld das Ausweichquartier des Reichssippenamtes mit der »Judenkartei« von ganz Europa. Als ich aus dem Krieg heimkehrte, fand ich im Wald ringsherum angekohlte Karteikarten, um die sich niemand kümmerte. Die Akten waren zum größten Teil verbrannt worden. Ich sammelte die Karteikarten aber nicht auf. Das hat man nicht gemacht. Man war sich der Tragweite dieser Kartei nicht bewusst, wusste nicht, was diese Kartei eigentlich bedeutete … Dann kamen die ersten sowjetischen Filme, sie waren zum Teil nicht gut. Alles wurde umgewertet. Manche der Filme spielten im Kuhstall, in der Kolchose …

CW … die waren zum Teil grauenhaft.

GW Über die haben wir unheimlich gelacht.

JS Was war darin zu sehen, der neue Mensch?

CW Ja, oder auch der große Stalin.

GW Ich hatte noch Hefte mit Bildern der Nazikunst. Als ich am Ende des Krieges als Soldat im Oderbruch stationiert war, kamen wir an dem Atelierhaus des Nazibildhauers Arno Breker[34] vorbei. Dort standen Statuen herum, Bodybuilder-Figuren, richtige Recken. Das hat mir nicht mehr imponiert, das hat mich geheilt. Die Rote Armee sammelte sie später ein, brachte sie in ihre Kaserne nach Wünsdorf und stellte sie in ihren Park.

Nach dem Krieg bekamen wir an der Schule einen neuen Direktor, den die Nazis zuvor in den Ruhestand geschickt hatten. Ein netter, alter Sozialdemokrat, der für die englische Demokratie schwärmte, was wir natürlich nicht verstanden. Auf einer Schulfeier sangen wir: »Wann wir schreiten Seit an Seit«. Dann öffneten wir den Schrank im Klassenzimmer, und uns fielen die Liederbücher aus der Nazizeit entgegen, in denen stand das Lied auch drin. Die Nazis hatten es adaptiert.

JS Dieses Lied habe ich auch in der Schule gesungen.

GW Das singen die Sozialdemokraten heute noch.

CW Die ganze Umerziehungsfeier war im Eimer!

GW Manche wehrten sich gegen das Neue. Einer schrieb groß »schulfrei« an die Tafel, obwohl das nicht stimmte. Zum Teil hatten wir auch noch dieselben Lehrer. Die richtigen Parteigenossen durften nicht mehr unterrichten, aber die anderen, die kleineren Nazis und Mitläufer, blieben weiterhin Lehrer.

JS Wie verhielten sich die Lehrer, passten sie sich sofort an die neue Zeit an? Mein Staatsbürgerkundelehrer musste nach dem Mauerfall in die Psychiatrie. Und was wurde aus den Lehrbüchern? Unsere Geschichtsbücher und das Buch über die Geschichte der SED, das wir zuvor zum Teil auswendig lernen mussten, lagen nach dem Mauerfall in den Mülltonnen. Habt ihr eure alten Bücher auch weggeworfen?

CW Natürlich!

GW In der ersten Zeit nach dem Krieg gab es keine Lehrbücher oder Lehrpläne. Es gab auch einige Lehrer, die ihre Lebensläufe gefälscht oder frisiert hatten. Nazis, die zum Teil wieder verschwanden. Ich wurde dann selbst sehr schnell Lehrer. Nach dem Schulabschluss ging ich zum Oberschulhelfer-Lehrgang, in Deutsch kam ich nicht rein, also wählte ich Biologie. In einem Vierteljahr wurden wir auf das Pensum der Oberschulklassen getrimmt. Danach unterrichtete ich in Schlotheim. Ich war nur zwei Jahre älter als die Schüler. Da herrschte eine dolle Stimmung. Es gab sehr gute Neulehrer, einer war ein ganz überzeugter Marxist. Im Kollegium wurde viel diskutiert, auch über Trotzki.

CW Bei uns in Schwerin verteilten manche Lehrer handgeschriebene Durchschläge, damit sie und wir überhaupt etwas in der Hand hatten. Dieses Material mussten wir bis zur nächsten Stunde auswendig lernen. Diejenigen, die das taten, kriegten immer eine Eins. Dann bekam ich Tuberkulose und musste in die Lungenheilanstalt. Erst 1947 ging ich nach Bad Frankenhausen an Opas Schule. Da war er aber schon weg, zur Ausbildung als Oberschulhelfer. Wir lernten uns erst später kennen, unter den größten Warnungen, ja Drohungen, was der Gerd für ein unmöglicher, arroganter und zynischer Mensch sei.

JS Wer hat da gewarnt?

CW Das ging so um. An der Schule in Frankenhausen lasen wir die ersten marxistischen Broschüren aus dem Dietz-Verlag. Sie waren auf schlechtem Papier gedruckt. Zum Beispiel: *Der Ursprung der Familie, des Privateigentums und des Staates* von Friedrich Engels. Das fand ich ausgesprochen interessant und einleuchtend. Es überzeugte mich. Die Lehrer beeinflussten uns auch in diese Richtung.

Ich war sehr schlecht in Mathe, was mein Mathematiklehrer bis zum Schluss nicht merkte, weil ich in ihn verknallt war und er auch ein bisschen in mich …

JS Wie alt warst du denn da?

CW 19. Da darf ich mich ja wohl verknallen! Dieser Lehrer hat mir imponiert, man merkte ihm so etwas Schicksalhaftes an … Er wusste sehr viel über Großbritannien, und wenn wir ihn auf dieses Thema bringen konnten, nahm er von Physik und Mathe Abstand. Er war in der Kommunistischen Partei und sehr überzeugt, wie uns schien. In diesem Sinne sprach er auch mit uns. Als ich dann 1949 mit zwanzig in die Partei eintrat, war er mein Bürge.

JS Augenblick! Wie kam es denn nun dazu, das ist doch ein heftiger Meinungswechsel!

CW All diese Broschüren, die ich gelesen hatte, fand ich so überzeugend. Ich dachte, die Menschen müssten nur begreifen, wie man leben und wie die Gesellschaft sein müsse. Die Menschen müssten nur verstehen, dass der Sozialismus das Beste für sie sei, und dann werde er auch funktionieren.

GW Die Naziideologie war Mythos und Propaganda, und das war jetzt Wissenschaft.

CW Wissenschaft und Vernunft und Aufklärung.

GW Die Mehrwerttheorie zum Beispiel erschien uns vollkommen plausibel. Dazu kamen die Bücher von Anna Seghers[35] und Bertolt Brecht[36]. Alles zusammen ergab innerhalb ganz kurzer Zeit eine starke Dosis Aufklärung.

JS Versuchten die Lehrer euch umzuerziehen, ihr hattet doch noch eine ganz andere Ideologie im Kopf?

CW Die verflüchtigte sich.

GW Ideologie im Kopf geht schon zu weit. Wir hatten nicht Hitler oder die Nazi-Theorien gelesen. Rein ideologisch wusste man nicht viel. Und nun war der Krieg nicht gut ausgegangen …

CW … und je mehr man auf den verschiedensten Wegen erfuhr, was in der Nazizeit wirklich geschehen war, desto mehr verflüchtigte sich diese sogenannte Ideologie. In der Zwischenphase gab es eine Zeit der Depression. Eine Art Zusammenbruch, als man all die Verbrechen nun tatsächlich glauben musste. Ein paar Monate lang habe ich unheimlich nach etwas gesucht, woran ich mich festhalten konnte. Da kam ich auch auf das Christentum. Bad Frankenhausen ist ja Thomas-Müntzer-Stadt, und an der Oberschule merkte ein Pfarrer, wie wir Schüler alle schwammen. Er sammelte diejenigen, die sich interessierten, um sich und unterrichtete einmal in der Woche Christenlehre. Er war klug, gebildet und nahm in seinen Predigten eine sehr soziale Variante des Christentums auf.

GW Mein Pastor, der mich noch in der Nazizeit konfirmiert hatte, trug unter dem Talar die SA-Uniform, manchmal lugte der Dolch hervor. In der Kirche in Frankenhausen hing ein Gemälde der Kreuzigung Jesus, das muss in der Nazizeit übermalt worden sein. Darauf stand rund um das Kreuz eine Gruppe von Männern, einer trug einen Stahlhelm, ein anderer eine SA-Uniform.

CW Als ich dort hinging, war das wieder übermalt worden.

JS Aber das Christentum schlug bei dir nicht an, Oma?

CW Ich habe mich tief darum bemüht. Jeden Sonntag lief ich in die Kirche, und ich las die Bibel. Nach ein paar Wochen ging ich zum Pastor und sagte: »Ich komme nicht mehr!« Er fragte: »Warum nicht?« Ich: »Ich kann doch nicht glauben.« Er: »Wieso nicht?«

Ich: »Ich kann zum Beispiel nicht an die unbefleckte Empfängnis oder an die Auferstehung der Toten glauben. Das sind zwei grundlegende Dinge.« Er sagte, er habe sich schon gedacht, dass ich irgendwann Zweifel bekäme. Er sei auch nicht von Anfang an ein gläubiger Christ gewesen. Er habe aber ein tiefes Erweckungserlebnis gehabt, und danach habe er glauben können. Trotzdem entließ er mich in Freundschaft. Da war diese Periode zu Ende.

Dann lasen wir die marxistischen Broschüren in der Schule, die Bücher, und ich hatte diesen Mathelehrer, der später mein Bürge wurde. Jahre darauf stellte sich heraus, dass er unter den Nazis im Goebbels-Ministerium gearbeitet hatte. Daraufhin wurde er als Schuldirektor abgesetzt. Viele bedauerten, dass er gehen musste. Er war wirklich kein übler Kerl. Bis heute glaube ich, dass er ein anständiger Mensch gewesen ist. Einmal habe ich ihn danach noch besucht. Über seine Absetzung sprachen wir nicht, aber über meine mathematische Begabung. Darüber waren wir völlig unterschiedlicher Meinung. Ich sagte: »Sie müssen doch gemerkt haben, dass ich von Mathe und Physik keine Ahnung hatte.« Er hatte es nicht bemerkt. Vor kurzem war ich bei einem Klassentreffen, einer meiner Mitschüler sagte, er habe gedacht, ich würde einmal den Nobelpreis für

Naturwissenschaften bekommen. »Hast du eine Meise?«, fragte ich ihn. »Ich habe in Mathe doch immer von euch abgeschrieben.«

JS Du warst auf der Suche nach etwas, das dir Halt geben könnte, das habe ich verstanden. Aber wie kam es nun zu deinem Eintritt in die SED, das ist mir noch ein Rätsel?

CW Ein halbes Jahr zuvor besuchte mich ein enger Freund aus meiner Klasse zu Hause. Ich hatte in Frankenhausen unten im Souterrain ein eigenes Zimmer mit Bad. Er sagte: »Du, ich trete in die Partei ein.« Ich weiß noch, wie ich sagte: »Du musst vollkommen verrückt sein, bist du noch zu retten, zu den Roten in die KP?« Ich habe sehr mit ihm gerungen. »Dann können wir auch keine Freunde bleiben«, sagte ich zu ihm. »Warum machst du denn das?« Er sagte, er habe viel gelesen, was ihm einleuchte, und wenn man die Theorie richtig fände, sei man verpflichtet, auch in der Praxis etwas dafür zu tun. Kurz bevor ich zur Universität ging, trat ich dann auch ein. Im Grunde aus dem gleichen Antrieb heraus. Ich dachte, an der Uni musst du diese Ideen durchsetzen.

JS An welche Ideen hast du geglaubt?

CW An die Idee der sozialen Gerechtigkeit und an den Antifaschismus, den ich in dieser Partei am stärksten ausgeprägt fand. Später in Berlin lernte ich Menschen kennen, die selbst Antifaschisten und im KZ oder Zuchthaus gewesen waren.

GW Bei mir war der Parteieintritt, wie ich dir schon erzählte, vor allem eine Anti-Eltern-Aktion. Der Freund, mit dem ich eingetreten bin, hatte sich an der Freien Universität in Westberlin beworben. Das war 1949, kurz nach DDR-Gründung. Er meinte, ich solle zu ihm kommen. Ich war Oberschulhelfer geworden, weil ich kein Arbeiterkind war und deshalb keinen Studienplatz und kein Stipendium bekam. Aber wenn man Oberschulhelfer wurde, hatte man die Garantie, dass man nach zwei Jahren studieren durfte. Ich bewarb mich auch an der FU, und es gab ein Aufnahmegespräch. Ich wurde aber nicht genommen. Dann kriegte ich die versprochene Zulassung aus Jena.

JS Du warst also noch hin- und hergerissen zwischen den Systemen.

CW Gerd wäre auch in den Westen gegangen.

GW Wegen des Freundes. Die FU gründete sich ja gegen die Humboldt-Universität, das waren Gegner.

JS Du bist sehr früh in die Partei eingetreten, gleich nach dem Krieg.

GW Wie gesagt, hauptsächlich aus Protest gegen die Eltern.

CW Die Älteren hatten alles gegen den Baum gefahren. Nun, dachte man, müsste es eine Kraft geben, die verhindert, dass so etwas wie der Nationalsozialismus noch einmal passiert. Das vermittelten uns auch die Lehrer: Auf keinen Fall dürfe so etwas wie der Faschismus noch einmal geschehen!

GW Ich war sehr im Kulturbund[37] engagiert. In Schlotheim war ich Vorsitzender, wurde dann zu einem zentralen Lehrgang nach Bad Saarow delegiert und zu den Kulturbundkongressen in Berlin eingeladen. Dadurch konnte ich in Berlin auch die großen Brecht-Aufführungen, *Herr Puntila und sein Knecht Matti* oder *Mutter Courage*, sehen. Ich hatte von der großen literarischen Welt schon viel mehr mitbekommen als Christa zu dieser Zeit.

JS Wie liefen denn die ersten Parteiversammlungen ab, hatte man die gleich von Anfang an?

CW In Frankenhausen hatte ich keine mehr, beim Studium in Jena hatte ich welche. Ich hatte mich für Germanistik beworben, etwas anderes kam für mich nicht in Frage. Ich wollte allerdings Lehrerin werden, das wollten wir beide, Gerd und ich. Ich hatte aber eine Ablehnung bekommen, weil mein Vater kein Arbeiter war. Das war eine große Katastrophe für mich. Da hat mir eben wieder dieser Mathelehrer und Bürge geholfen. Er fuhr mit mir zusammen nach Erfurt zum Volksbildungsministerium. Dort ging er ins Büro hinein, ich blieb im Vorzimmer sitzen. Als er wieder herauskam, meinte er: »Die Sache ist geregelt!«

JS Und wie habt ihr beiden euch dann kennengelernt?

CW In den ersten Wochen beim Studium 1949 in Jena. Ich war ein paar Tage vor Gerd da. Eine Mitstudentin kam aus Schlotheim, die kannte Gerd, bewunderte ihn, vielleicht war sie auch ein wenig in ihn verliebt …

GW Ach …

CW … sie sagte: »Du, da kommt noch einer, der Gerhard Wolf.« Und ich sagte: »Ach ja, das ist der Bruder vom Freund meines Bruders.« Gerhard Wolf war mir schon ein Begriff, ohne dass ich ihn je gesehen hatte. Sie sagte: »Der ist klug, sag ich dir, der weiß was, der kennt viele Gedichte!«

GW Meine Begabung war ganz einseitig. In Mathe bin ich gerade so mit Vier durchgerutscht.

JS Das hat sich auf deine Enkelin übertragen.

CW Jedenfalls, als er schließlich kam, ging ich gerade die Treppe zur Mensa hoch, und vor mir lief diese Kommilitonin mit ihm. Sie drehte sich um: »Du, guck mal, der Gerd ist gekommen.« Dann stellte sie uns gegenseitig vor. Und da funkte was …

GW Ja? Bei mir erst später.

CW Bei mir sofort. Die Augen, dieser Blick. Er sah ja verboten aus. Ich übrigens auch. Er hatte aus gefärbten Uniformstücken zusammengesetzte Sachen an. Das Schlimmste aber war später sein Mantel, als es Winter wurde, so ein furchtbar gefärbter SA-Mantel seines Vaters. Wir liefen damals alle so herum. Ich trug einen weißen Mantel, der war aus einer Krankenhausdecke geschneidert worden. Ich musste den Schriftzug *Beobachtungskrankenhaus Lankow* abschneiden. Dadurch war der Mantel sehr kurz geworden …

Für einen Augenblick hält meine Großmutter inne, sie blickt zu meinem Großvater.

CW Ich habe diese erste Begegnung immer in Erinnerung behalten, sehe sie vor mir.

GW Wir haben zusammen den Kulturbund gemacht.

JS Moment, wie seid ihr zusammengekommen?

CW Wir besuchten zusammen ein Seminar und saßen danach oft lange in der Uni und lasen. Meist waren wir die Letzten, die abends um neun oder zehn die Bücher weglegten. Damals lasen wir gerade den gesamten Gerhart Hauptmann. Eines Abends begleitete mich Gerd dann nach Hause. Ich wohnte am anderen Ende der Stadt, auf dem anderen Ufer der Saale, in einem winzigen Stübchen mit Kanonenofen. Dorthin hat er mich bei klirrender Kälte, über die gefrorene Saale hinweg, gebracht. Danach musste er den ganzen Weg wieder zurücklaufen zu seinem Zimmer bei der Witwe Specht.

JS Da hattest du aber auch schon Interesse, Opa!

GW Na sicher. Die Begegnung auf der Treppe war es aber nicht.

CW Weißt du nicht mehr, wann oder wie?

GW Nein, ich weiß nicht mehr ganz genau, wie es anfing. Wir haben uns unheimlich viel gestritten, und da hieß es: Die streiten sich so viel, die sind verliebt.

JS Worüber habt ihr gestritten?

CW Über alles, das Leben, die Liebe, die Politik, die Partei, darüber, was wir gelesen hatten. Ich musste mich immer gegen ihn behaupten.

GW Christa musste dann ihre Selbständigkeit und Jungfräulichkeit aufgeben. Da gab es große Konflikte. Weißt du noch, einmal besuchten wir deine Freundin Nora. Die sagte: »Der passt ja gar nicht zu dir!« Du hast sehr viel geweint in dieser Zeit.

CW Weil ich mir nicht sicher war, ob Gerd wirklich der Richtige ist. Wenn ich mich einmal für ihn entschieden hatte, war das für immer. Das war selbstverständlich, darum war es so schwer.

GW Christas Mutter sagte: »Der hat Magenkrebs, der sieht ja aus wie ein KZler!« Ich war keine glänzende Erscheinung!

CW Er sah so mager und hohlwangig aus.

GW Es müssen also andere Fähigkeiten gewesen sein, die dich überzeugt haben.

CW Gerd roch gut. Die Seife, die er verwendete …

GW Hatten wir damals überhaupt Seife?

CW Doch!

JS Und warum hast du dich schließlich für ihn entschieden?

GW Na, Annettchen war schon bald unterwegs …

CW … zunächst mussten wir einmal zusammenziehen.

GW Das war schön. Die Witwe Specht, bei der ich oben im Dachstübchen wohnte, hatte noch ein Zimmer, da stand kein Ofen drin. Das konnte sie nicht vermieten.

CW Da habe ich mir gesagt, so geht es nicht weiter. Dass Gerd immer, wenn er nicht bei mir übernachten mochte, den ganzen Weg zurücklaufen muss. Ich sagte, ich sehe zu, dass ich dieses unvermietbare Zimmer bei der Witwe Specht kriege. Wir gingen zum Wohnungsamt und servierten unser Anliegen dem Beamten mundgerecht, dass er kein neues Zimmer weggeben müsse, weil dieses als unvermietbar gelte. Da gab er mir die Zuweisung, ich bin damit zur Witwe Specht und sagte: »Ihr Zimmer ist beschlagnahmt. Sie müssen das jetzt vermieten!« Sie meinte: »Wollen Sie denn wirklich darin wohnen, das ist doch ganz kalt.« Gott sei Dank war sie fast taub. Gerd half mir beim Umzug. Erst als die Witwe Specht uns zusammen sah, fiel bei ihr der Groschen. Als sie einmal Gerds Tür öffnete und ich in seinem Bett lag, war das der letzte Hinweis. Das war 1950.

JS Das ging ja alles ziemlich schnell!

CW Na, wir waren auch schon nicht mehr jung mit 20 oder 21. Das war sehr schön. 1952 wurde dann Annette geboren.

GW Wann haben wir uns verlobt?

CW 1950! Nee, 51! Nee, 50!

JS Deine Eltern, Oma, waren doch gegen eure Beziehung gewesen?

CW Zuerst, dann nicht mehr. Meine Mutter war entsetzt darüber, dass ich mich einem Mann hingegeben hatte, ohne mit ihm verheiratet zu sein. Wir verlobten uns, und dann gab es diesen »entsetzlichen Vorfall«, dass das Kind schon vor der Hochzeit unterwegs war. Ich ging zum Arzt und sagte, ich sei schwanger. Der Arzt sagte: »Na, Sie sind doch gar nicht verheiratet!« Ich: »Na und?« Er: »Da haben Sie allerdings recht.« Er war heilfroh, dass ich nicht irgendwas von ihm verlangte. Nun bekamen wir also ein Kind und besprachen, was wir machen sollten. Erst einmal heirateten wir im Juli 1951. Wir hatten natürlich kein Geld. Ich bekam hundert Mark Studienbeihilfe. Unsere Eltern hatten nichts, sie waren Flüchtlinge. Da machte sich Gerd auf den Weg und kam über eine Freundin beim Rundfunk unter.

GW Die hatten damals kaum Leute. Der Intendant beim Rundfunk in Leipzig war ein ehemaliger KZ-Häftling, der Cheflektor hatte im Zuchthaus gesessen. Zwei, drei Leute, die wie ich politisch unbelastet waren, wurden Redakteure, und zwei, drei waren Arbeiterkader, wirklich saudumme Genossen. Der eine fragte mich: »Na, wie ist denn das Buch von dem Victor Hugo?« Ich kam mir mit meinen vier Semestern Germanistik-Studium und Georg-Lukács-Lektüre[38] hochgebildet vor. Als Hilfsredakteur verdiente ich 270 Mark im Monat, und ich lernte gute Autoren kennen.

CW Wenn er eine Sendung machte, bekam er noch einmal 50 Prozent vom Gehalt dazu. Das war die Rettung, dadurch kamen wir über die Runden. Schon bald wurde er nach Berlin versetzt. Das war ein Aufstieg.

GW Da wurde das Rundfunkkomitee[39] gegründet.

JS Und du, Oma, bliebst zu Hause?

CW Nein, ich habe studiert.

GW Ich wollte eigentlich auch weiterstudieren, das ging aber gar nicht.

CW Ich unterbrach nur kurz nach Annettes Geburt das Studium, legte mein Examen aber dennoch zu dem Zeitpunkt ab, an dem ich es hätte ablegen sollen.

JS Wie hast du das mit dem Baby geschafft?

CW Ich hatte eine großbusige Kinderfrau, Fräulein Krausche, die war nett und kostete nicht viel. Sie nahm Annette auch mit zu ihrer Familie, wenn ich zu spät nach Hause kam. Mit einem Kind ist es schwierig, wenn man zur Untermiete wohnt und alles in einer fremden Küche kochen muss. Damals konnte von einer Waschmaschine keine Rede sein oder von Babyfläschchen. Und ich lernte bis tief in die Nacht hinein. Als ich endlich das Examen hatte, bekam ich zum ersten Mal Herzbeschwerden. Ich war fertig. Die vorangegangenen anderthalb Jahre waren hart gewesen. Gerd war ja auch nicht da. Er kam alle 14 Tage, da hatte ich keinen Pfennig mehr und wartete, dass er Geld brachte. Er pfiff immer, wenn er kam. Das war unser Signal. Ich lag auf dem Bett und wartete auf den Pfiff.

JS *(zu GW)* Und du warst beim Radio.

GW Ja, beim Deutschlandsender. Dort bin ich gleich

aufgestiegen, wurde erst Redakteur und dann Redaktionsleiter.

JS Hat dir das Spaß gemacht?

GW Ja, es war sehr interessant. Beim Deutschlandsender ging es noch um eine gemeinsame deutsche Kultur. Der Deutschlandsender machte Riesenpropaganda für die Einheit Deutschlands, was die drüben im Westen gar nicht wollten. Das ging bis 1956. Die Arbeit war aber auch anstrengend, dann habe ich von 1953 bis 1956 an der Humboldt-Universität fertig studiert und nebenher Sendungen geschrieben.

JS Wolltet ihr damals noch ein vereintes Deutschland?

CW/GW Ja, absolut.

CW Als ich mit dem Studium fertig war, zog ich 1953 auch nach Berlin, wir hatten aber nur ein Zimmerchen. Annette blieb zum Teil bei meiner Mutter. Dann verdiente ich das Geld, war im Schriftstellerverband angestellt. Und Gerd konnte weiterstudieren.

GW Es war sehr schwer, eine Wohnung in Berlin zu finden.

CW In Karlshorst in der Stechlinstraße bezogen wir drei Zimmer illegal. Wenn man eine Zeitlang mit einem Kind dort lebte, wurde man nicht mehr hinausgesetzt.

JS Wie kamst du denn gleich nach dem Studium zum Schriftstellerverband, Oma?

CW Ich hatte meine Abschlussarbeit über den Realismus in dem Werk Hans Falladas geschrieben und mein Examen 1953 bei dem bekannten Literaturwissenschaftler Hans Mayer[40] gemacht. Da war er auf mich aufmerksam geworden und bot mir an, als Assistentin bei ihm anzufangen. Das wollte ich aber nicht. Das war ein ziemlicher Klüngel. Außerdem interessierte mich die Gegenwartsliteratur. Dafür war der Schriftstellerverband das Richtige. Über einen Kollegen, der mit KuBa[41] befreundet war, dem damaligen Ersten Sekretär des Verbandes, bewarb ich mich dort und wurde genommen, als wissenschaftliche Mitarbeiterin. Übrigens arbeitete Heiner Müller[42] damals auch dort.

GW Nun konnte Christa junge Autoren anleiten.

CW Es gab Arbeitsgemeinschaften junger Autoren. Wir fuhren zu ihnen und erklärten ihnen, wie sie schreiben sollten.

JS Du hattest zu dem Zeitpunkt doch kaum etwas geschrieben. Wie konntest du schon junge Autoren anleiten? Oder lief das sehr dogmatisch ab?

CW Dogmatisch war ich wahrscheinlich nicht, aber sozialistisch-realistisch schon und vor allem lebensfremd. Nach Lukács wusste man genau, wie ein Roman auszusehen hatte und wie sich die Figuren darin zu verhalten hatten. Der Parteisekretär durfte zum Beispiel nicht fremdgehen. Das war nur eine kurze Zeit, über die wir bald lachten, aber damals nahmen wir das alles sehr ernst und diskutierten unheimlich viel darüber.

JS Gab es auch Leute, die sagten: Das ist alles Quatsch!

GW Sicher gab es die, die waren aber nicht in unserem Umfeld. Zum Teil gingen die in den Westen.

CW Weißte, Jana, das bleibt immer noch alles sehr pauschal, auch wenn wir Einzelheiten erzählen. Über die Studienzeit und über die Lehre gäbe es noch viel zu berichten. Georg Lukács war der Lehrer, die jüngeren Dozenten waren völlig in dessen Geist erzogen und haben das auf uns übertragen. Wir übernahmen den Realismusbegriff von Lukács und stritten mit den bürgerlichen Studenten um die Begriffe.

JS Wer waren die bürgerlichen Studenten für euch?

GW Diejenigen, die nicht in der Partei waren.

JS Aber ihr stammt doch auch nicht aus der Arbeiterklasse! Und konntet deshalb nicht einfach studieren. Da hätte ich doch gedacht: Was ist das denn für ein Unsinn?

GW Wieso? Jahrhundertelang wurden die Arbeiter unterdrückt. Nun gab es Arbeiter- und Bauern-Fakultäten. Die waren gar nicht schlecht.

CW Man fand, das ist ein Stück ausgleichende Gerechtigkeit.

GW Das hat man eingesehen. Jetzt sind erst einmal die dran.

JS Da nahm man sich selbst zurück!

CW/GW Ja!

GW »Klassenbewusst« war das Beste, »klassenverbunden« schon weniger.

CW Über solche Begriffe konnte man sich stunden- und nächtelang streiten. Oft lagen wir nachts zu Hause im Bett und unterhielten uns über Politik und Partei, allerdings mit zunehmend kritischem Akzent. Manches hat uns sehr befremdet, und wir versuchten, uns gegenseitig und anderen einzureden, dass das so sein müsse, weil wir kleinbürgerlicher Herkunft seien und das vielleicht nicht richtig verstünden.

JS Was hat euch befremdet?

CW Zum Beispiel die erste Wahl zur Volkskammer in Jena 1950. Da traten die Parteien schon im Block auf, konnten aber noch einzeln gewählt werden. In manchen Bezirken in Jena hatte, glaube ich, die CDU damals noch die Mehrheit. Wir waren Wahlhelfer, zogen von Tür zu Tür und überzeugten die Menschen, wählen zu gehen. Als wir dann selbst ins Wahllokal kamen, suchten wir nach der Wahlkabine, es gab aber keine, nicht mal pro forma. Wir waren völlig irritiert.

GW Die Menschen sollten eingeschüchtert werden, dass sie nicht das falsche Kreuzchen setzten.

CW Man sagte uns dort: Na, Sie sind doch sicher für die Kandidaten der Nationalen Front, dann brauchen Sie den Zettel nur zusammenfalten und reinstecken. Wir sind danach in die Berge spazieren gegangen und haben uns den ganzen Nachmittag gefragt: Soll es das nun sein? Die haben uns doch betrogen, wir haben uns doch als Wahlhelfer für demokratische Wahlen beworben. Das war uns nicht gesagt worden. Das war der erste Punkt, an dem wir merkten: Mensch, da stimmt was nicht! Als wir darüber innerhalb der Studentenschaft diskutierten, wurde uns gesagt, wir hätten keinen richtigen Klassenstandpunkt. Das sei der Klassenkampf, die bürgerlichen Parteien müssten niedergerungen werden und wir müssten die neue Macht vertreten und verteidigen. Nach dem Spruch von Johannes R. Becher[43]: »Die Macht ist euch gegeben, dass ihr sie nie, nie mehr aus euren Händen gebt!« Das wurde uns immer entgegengehalten. Und wir dachten, das sind alles im Klassenkampf bewährte Genossen, es kann nicht sein, dass sie unrecht haben. Dann muss es wohl so sein.

Einmal, sehr früh, geschah noch etwas, wo ich mich persönlich betrogen fühlte. Das war in Berlin 1954, da gab es eine Wahl in Westberlin. Die Mauer stand noch nicht, und wir wurden vom Schriftstellerverband als Wahlhelfer für die SED im Westen eingesetzt. Im Gewerkschaftshaus Unter den Linden wurden wir eingewiesen, uns wurde Material gegeben und gesagt: »Ihr seid legale Wahlhelfer!« Die Genossen gaben uns einen Ausweis mit unserem Namen darauf. »Ihr müsst keine Angst haben«, sagten sie. »Aber lasst die Wahlhelferausweise nicht in die Hände des Klassenfeindes fallen.« Da hätte ich sofort aufmerken müssen, denn was sollte das Problem sein, wenn alles legal war? Dann bin ich mit einer Mitstreiterin, die ziemliche Angst hatte, nach Westberlin gefahren …

GW Sie sollten mit den Leuten diskutieren.

CW So weit kamen wir doch gar nicht, Gerd! Wir betraten das erste Haus und machten es völlig falsch. Wir sollten klingeln und den Leuten Wahlmaterial übergeben. Wir fingen in dem Haus aber in der ersten Etage an anstatt oben in der letzten. Unten war keiner zu Hause. Gott sei Dank! Also steckten wir das Wahlmaterial durch die Briefschlitze. Im ganzen Haus war niemand zu Hause. Als wir wieder unten ankamen, erwartete uns schon ein Westberliner Polizist. Er war angerufen worden. »Was machen Sie denn hier?«, fragte er. »Wir sind Wahlhelfer der SED, ganz legal.« – »Na dann kommen Sie mal mit«, sagte der Polizist. Da war ich noch immer frech und hochgemut. Draußen spielte ein Junge im Rinnstein, er schaute auf und rief: »Kommunisten! Alle aufhängen!« Und ich sagte zu ihm: »Dann habt ihr aber viel zu tun!«

Der Polizist brachte uns zum nächsten Polizeirevier. Es war wie in einem Krimi. Dort sollten wir uns auf eine Bank setzen. Schließlich wurden wir vom Revierleiter empfangen. Ich sagte: »Wir sind absolut legal hier, und ich protestiere.« Er sah sich unser Wahlmaterial an und meinte, dass ein Stempel fehle, das Material sei nicht legal. Das hieß, unsere Leute hatten uns belogen. Unser Material war ein einziger Stuss gewesen. Ich hatte es zuvor in der S-Bahn gelesen und dachte, kein Mensch wird sich von derart blöder Propaganda überzeugen lassen. Es war beschämend!

JS Was stand denn drin?

CW Blöde Losungen in einer furchtbaren Sprache. Deshalb war ich heilfroh, dass wir niemanden in dem Haus angetroffen hatten. Nun stellte sich heraus, dass dieser Stempel fehlte. Ich hatte eine solche Wut auf die Genossen, die uns geschickt hatten. Das hätten sie uns doch sagen können. Wir wären trotzdem nach Westberlin gefahren, aber wir wären wenigstens vorbereitet gewesen. Ich fing an, mit dem Revierleiter zu diskutieren. Der sagte: »Sie sind doch eine kluge Frau. Dass Sie so einen Blödsinn glauben können!« Nach einiger Zeit forderte er mich auf, mich umzudrehen. Über der Bank, auf der wir saßen, hing eine große Karte der Sowjetunion. Darauf waren lauter gelbe Rechtecke eingezeichnet. Er meinte, die Rechtecke stellten alle Lager dar, in denen politische Häftlinge inhaftiert seien. Ich glaubte ihm nicht. Er sagte: »Sie können es mir ruhig glauben, ich bin selbst in so einem Lager gewesen. Ich gehöre zu denen, die von Konrad Adenauer dort rausgeholt wurden.« Da war ich wieder obenauf und sagte: »Ach so, dann sind Sie ein Kriegsverbrecher. Dann rede ich nicht mehr mit Ihnen!« Wahrscheinlich war er Sozialdemokrat gewesen. Ich glaubte damals nicht, dass es in der Sowjetunion so viele Lager gab.

Nach einiger Zeit kam ein Leutnant, der uns verhörte. Er ordnete eine Leibesvisitation an. Ich weigerte mich. »Nur mit einer Frau«, sagte ich. Also holten sie eine Wachtmeisterin, und die sagte, ich solle mich ausziehen. Ich hatte aber noch diesen Wahlhelferausweis. Ich sagte: »Kommt nicht in Frage, hier sind keine Vorhänge!« Dann zog ich mich hinter einer Schranktür aus. In der Hand hielt ich den Ausweis, ein Pappblatt. Als die Beamtin den haben wollte, zerriss ich ihn vor ihren Augen. Ich sollte ihn ja nicht dem Klassenfeind in die Hände fallen lassen. Dabei kratzte mich die Polizistin etwas. »Jetzt verletzen Sie mich auch noch!«, rief ich. »Sind die bei Ihnen alle so?«, fragte die Polizistin. »Nicht alle, aber viele«, antwortete ich. Dann wurden wir in der grünen Minna nach Moabit in die Untersuchungshaft gefahren. Meine Mitstreiterin kam ins Jugendgefängnis. Sie hatte Angst, blieb aber tapfer.

Ich saß in einer Zelle. Das ist wirklich nicht angenehm. Wirklich nicht. Zunächst saß ich mit vier weiteren Frauen in einer Art Zwischenzelle. Das war unglaublich. Zuerst fragten die mich natürlich, warum ich dort sei. »Na, ich hab Flugblätter verteilt.« – »Ach politisch. So ein Quatsch!«, sagten sie. Damit war ich für sie aus dem Rennen. Die eine murmelte in einem fort vor sich hin: »Nein, ich werde nichts sagen.« Nun war ich neugierig, was passiert war. Es stellte sich heraus, sie war Zimmermädchen in einem Hotel, und auf ihrer Etage war Schmuck verschwunden. Sie erzählte es so, dass klar war, dass sie den Schmuck gestohlen und versteckt hatte. Im Stillen dachte ich, morgen wird sie bestimmt weich werden. Eine andere rannte hin und her und wiederholte immer wieder: »Wegen eener Zahnbürste, wegen eener Zahnbürste!« Irgendwann fragte ich: »Was ist denn mit der Zahnbürste?« Sie war mit ihrem Mann spazieren gegangen und an einer Drogerie vorbeigekommen, in der sie eine Kleinigkeit gekauft hatten. Der Drogist musste ins Lager, und vor der Frau auf dem Ladentisch stand ein Glas mit Zahnbürsten. Sie konnte nicht widerstehen. Kaum waren die beiden an der nächsten Ecke angelangt, war die Polizei schon hinter ihnen. Sie trug die Zahnbürste in der Jackentasche, da hat die Polizei sie gleich mitgenommen. Das war auch nicht das erste Mal. Sie sagte: »Na, mein Oller, wenn sie dem bloß nicht auf die Seele knien. Der wird bestimmt alles sagen. Hauptsache, der zeigt denen nicht die Diele! Wenn sie die Diele hochnehmen, was da alles drunter ist!« Mit anderen Worten, sie hatte ein ganzes Warenlager zu Hause unter der Küchendiele. Sie war einschlägig vorbestraft und konnte es nicht fassen, dass sie nun wegen einer Zahnbürste in der Zelle saß. Die Frauen waren begierig darauf, mir ihre Geschichten zu erzählen. Und ich habe sie bestärkt, sie sollten hart bleiben …

JS *(lacht)* … hart bleiben gegen den Klassenfeind?

CW Sie sollten den bürgerlichen Reichen nicht nachgeben. Ich sagte, sie seien die Arbeiterklasse, die Armen, die sowieso ungerecht behandelt werden würden. Am nächsten Tag kam ich in eine Einzelzelle in Moabit. Darin standen ein Bett, ein Hocker und ein Schränkchen. An der Wand hing ein Zahnputzbecher. Am ersten Tag besuchte mich dort ein Pfarrer und wollte wissen, welcher Religion ich angehöre, ob ich Zuspruch brauche. »Ich gehöre keiner Religion an«, sagte ich. Daraufhin wurde auf das Schildchen hinter meinen Namen das Wort »Dissident« geschrieben: Da war ich das erste Mal Dissident. Daher kannte ich überhaupt die Bedeutung des Wortes: keines Glaubens. Der Pfarrer fragte, was ich lesen wolle, und ich glaube, ich antwortete: Marx. Ich bekam dann ein dickes Buch mit Shakespeare-Dramen, aber nicht etwa die Originale. Das wäre gut gewesen, sondern sehr banale Nacherzählungen.

GW Dann begannen die Solidaritätsaktionen für Christa. Vertreter von Betrieben kamen mit riesigen Torten vorbei. Wir konnten Christa auch im Gefängnis besuchen. Ihre Mutter kam, und ihr Vater hat auf den Untersuchungsrichter eingeredet. Der sagte, er verstehe das alles sowieso nicht. Ein paar Tage vor der Wahl in Westberlin wurde sie wieder freigelassen.

CW Ich war also eine Woche im Gefängnis.

JS Wie hast du von der Verhaftung erfahren, Opa?

GW Ganz schnell. Christa kehrte nicht zurück, und dann kam die Nachricht von ihrer Verhaftung über den Schriftstellerverband.

JS Bist du gleich zu ihr gefahren?

GW Nein, man musste erst eine Besuchserlaubnis beantragen, danach habe ich sie besucht.

CW Es stand sogar in der Zeitung. Mir ging es in der Haft nicht gut. Ich war wirklich sehr aufgeregt und hatte Angst. Ich konnte im Gefängnis nichts essen, mein Magen war zu. Meine Besucher brachten mir Obst und Pralinen mit. In meiner Zelle standen lauter Konfektschachteln und Kuchen. Aber es war trotzdem nicht angenehm. Jeden Tag wurde ich verhört. Die Wahlhelfer sollten durch die Untersuchungshaft aus dem Verkehr gezogen werden. Die Verhörer versuchten, auf mich einzureden. Ich blieb natürlich steif wie sonst was. An mich kam man nicht heran. Ich war vollkommen überzeugte Kommunistin.

JS Warum wollten die Westberliner die Wahlhelfer aus dem Verkehr ziehen?

GW Es herrschte Kalter Krieg!

CW Sie wollten nicht, dass Wahlhelfer aus der DDR herüberkamen. Nach einer Woche Haft holten mich zwei Leute von der Universität ab. Als ich wieder zu Hause war, beschwerte ich mich schriftlich, dass man uns unter Vorspiegelung falscher Tatsachen nach Westberlin geschickt hatte. Die Antwort war: »Die Partei weiß, was sie tut.« Das war wieder ein Punkt, an dem ich dachte: Ich bin doch nicht deren Mumpelpiepel, mit dem sie machen können, was sie wollen. Die Partei weiß, dass ich auf ihrer Seite bin und mich einsetzen will, aber dann soll sie uns auch die Wahrheit sagen.

Wir sitzen noch immer unter den Bäumen vor dem Haus. Es ist sehr heiß. Auf der Dorfstraße sehen wir Urlauber, die mit Badesachen unterm Arm zum nahe gelegenen See laufen. Meine Großeltern erzählen sehr lebendig, ab und zu amüsieren sie sich über sich selbst. Die heftigen ideologischen Kämpfe der Vergangenheit wirken in dem sommerlichen Idyll surreal. Mein Großvater bringt Erdbeeren aus der Küche.

JS Wenn ihr so treue Parteigenossen wart, wie habt ihr eigentlich den 17. Juni 1953 erlebt?

GW Ich durfte als Angestellter des Rundfunks nicht nach Westberlin fahren. Diese Regel hätte man durchbrechen können, hat man aber nicht. Wir waren ziemlich brav. Dann kam der 17. Juni. Das war eine Kampfsituation. Kalter Krieg. Wir hatten ein Fabrikgebäude in Rummelsburg zum Rundfunkgebäude umfunktioniert, und in der Übergangszeit sendeten wir aus Bootshäusern in Grünau. Dieses Rundfunkgebäude hätten die Mitarbeiter gar nicht verteidigen können, sie standen mit einem Wasserschlauch an der Tür. Danach wurden die Kampfgruppen in den Betrieben gebildet.

CW Ich war damals noch in Leipzig und studierte dort. Zunächst habe ich die Ereignisse am 17. Juni als einen gegen uns, gegen die Partei gerichteten Aufstand erlebt. Durch die Stadt zogen Arbeiter oder Verbände, die sich antiparteilich gebärdeten. Ich trug mein Parteiabzeichen und versuchte, mit den Menschen zu diskutieren, aber sie reagierten aufgebracht auf mich.

JS Es ging doch hauptsächlich darum, dass die neuen Arbeitsnormen nicht zu schaffen waren.

GW Der Auslöser waren die Normerhöhungen gewesen. Die hatte man am Vorabend zurückgenommen. Doch da war es zu spät.

CW Aber das weitete sich aus. Der Aufstand richtete sich gegen diese Regierung, diese Partei. In Leipzig fuhren Straßenbahnen durch die Stadt, auf denen stand: »Weg mit dem Spitzbart!« Das war eine Anspielung auf den Spitzbart von Walter Ulbricht. Wir Studenten wischten das weg und gingen sofort in unser Institut. Wir dachten, da müssten Parteigenossen sein, die uns sagen, was wir machen sollen. Aber es war keiner da. Wir riefen bei den oberen Parteigremien an, aber auch da meldete sich niemand. Die Funktionäre hatten sich verzogen, waren feige. Wir liefen zur FDJ-Leitung, aber dort warfen schon die »Konterrevolutionäre« Schreibmaschinen und Akten aus dem Fenster.

Die Studenten der Historischen Fakultät meinten: »Kommt mit, wir verteidigen unser Institut!« Dort verbarrikadierten wir uns. Von drinnen sahen wir, wie die Aufständischen draußen vorbeizogen. Das waren zum Teil wilde Typen mit nackten Oberkörpern und Knüppeln in den Händen. Dann kamen die sowjetischen Panzer. Abends wurden Nachtwachen eingerichtet. Ich sagte, ich müsse jetzt nach Hause, ich hätte ein Kind. Die anderen antworteten, das ginge nicht. Zum Glück war mein Bruder gerade zu Besuch, und ich war etwas beruhigt. Nachts fuhr ich mit der Straßenbahn heim. Unterwegs sammelte ich eine ganze Hand voll Parteiabzeichen auf, die hatten viele weggeworfen. Ich kriegte eine solche Wut. Also trug ich meins extra und merkte, wie die Menschen in meiner Umgebung von mir abrückten. Am nächsten Tag gingen wir in ein Restaurant. Als ich dort mit meinem Parteiabzeichen reinkam, erhoben sich die Leute vom Tisch und setzten sich weg. Obwohl auch ich sehr ins Zweifeln geriet, legte ich es nicht ab. Nach dem Aufstand gab es Parteiversammlungen, auf denen ich forderte, dass über die Ursachen des Aufstandes diskutiert werden müsse. Die ersten paar Tage war das noch möglich, dann kippte die Stimmung, und der 17. Juni wurde als »arbeiterfeindlicher, konterrevolutionärer Aufstand« gewertet. Von da an wurde nicht mehr darüber gesprochen, warum die Menschen so aufgebracht waren. Das war ein weiterer Punkt, an dem ich dachte: Das geht nicht!

JS Die Aufständischen waren doch Arbeiter. Wie erklärte man sich in der Partei, dass sich die Arbeiter gegen ihren eigenen, gegen den Arbeiterstaat erhoben?

CW Das hat man eben leider nicht erklärt. Man hat gesagt, das waren »Konterrevolutionäre«. Die wurden verführt. Und der West-Radiosender RIAS hatte die Stimmung natürlich mit angeheizt.

GW Der DDR-Justizminister Max Fechner hatte zuvor noch verkündet, die Arbeiter hätten das Recht zu streiken. Er wurde sofort abgesetzt und später zu einer Gefängnisstrafe verurteilt. Von da ab gab es keine Selbstkritik mehr. Es hieß, es war falsch, dem Gegner einen Fußbreit Boden zu schenken.

JS Selbstkritik musste sogar ich noch in der Schule üben. Am eindrucksvollsten hat für mich Wolfgang Leonhard in seinem Buch *Die Revolution entläßt ihre Kinder*[44] die ständige massive Selbstkritik innerhalb der Partei beschrieben.

CW Die gab es auch weiterhin. Aber die Selbstkritik-Kampagnen waren immer gegen die anderen gerichtet. Die Parteispitze selbst übte doch keine Selbstkritik. Innerhalb der Partei musste man das immer mal wieder machen. In den Tagen nach dem 17. Juni gab es unter anderen noch einen Selbstkritik-Auftritt von Ministerpräsident Otto Grotewohl im Braunkohlekombinat in Böhlen, er sagte, die Partei habe auch Fehler gemacht. Von da an hieß es aber: Keine Fehlerdiskussion mehr! Nie mehr.

GW Der Erste Sekretär des Schriftstellerverbandes Kurt Barthel verhöhnte die Bauarbeiter von der Stalinallee, dass sie nun vieles wiedergutzumachen hätten.

JS Aber das waren doch »ihre Arbeiter«.

GW Da wurde viel geredet. Die Arbeiter seien vom Westen gesteuert oder alte Nazis. Ein wenig ist es auch so gewesen.

JS Und dann kamen die sowjetischen Panzer, damit hatte doch sicher niemand gerechnet?

CW Nein.

GW Walter Ulbricht hatte sich nach Berlin-Karlshorst zu den Russen gerettet. Bei mir im Rundfunk arbeiteten zwei Kollegen, die aus der Sowjetunion kamen. Die sagten: »Gott sei Dank, die Freunde werden alles in die Hand nehmen!«

JS Waren die Sowjets für euch auch die Freunde?

CW In gewisser Weise schon. Es war zwiespältig.

GW Es war alles sehr undurchsichtig. Wir sagten natürlich, der Weltfrieden sei in Gefahr.

JS Da kamen die »Freunde« und richteten sich gegen das eigene Volk, zu dem man auch gehörte.

GW Man konnte es auch so sehen: Ohne die Sowjets kämen die alten Nazis wieder. Von Stephan Hermlin[45], der jüdischer Herkunft war, wurden damals in Magdeburg Bücher verbrannt. Solche Dinge passierten eben auch.

CW Der Zweite Weltkrieg war erst acht Jahre vorüber.

GW Eine Woche nach dem 17. Juni sah ich das einzige Mal Ulbricht von nahem. Ich war am Wochenende Chef vom Dienst beim Rundfunk. Nachts kam plötzlich ein Anruf: Der Ulbricht wird kommen! Dann kam er, setzte sich an ein Tischchen und schrieb mit der Hand eine Erklärung. Darin hieß es: Ab Mitternacht fährt die S-Bahn wieder nach Westberlin. Der S-Bahn-Verkehr war zuvor unterbrochen worden. Das wurde gesendet. Dann kam ein Anruf, ein Mann mit hartem russischen Akzent fragte: Wer hat diese Nachricht durchgegeben? Walter Ulbricht. Soso. Bumm, wurde der Hörer aufgelegt. Ulbricht hatte die Russen offensichtlich nicht davon informiert. Das war seine eigene Initiative gewesen. Er wollte eine schnelle Normalisierung der Verhältnisse.

CW Deshalb erschien Ulbricht persönlich. Hätten die Rundfunkredakteure ihn nicht leibhaftig vor Augen gehabt, hätte man das nicht senden können.

JS Wie habt ihr in der Zeit die Sowjetunion und Stalin gesehen?

CW Stalin war im März 1953 gestorben. Da habe ich noch getrauert. Ich dachte, das sei ein großer Verlust für das Weltfriedenslager. Die Enthüllungen darüber, was Stalin verbrochen hatte, begannen erst 1956. Da lagen drei Jahre dazwischen, in denen allmählich einiges durchsickerte und ich mich von dem Glauben löste, dass er ein großer Held des Weltfriedenslagers gewesen war.

JS Existierte in der DDR auch ein Stalin-Kult wie in der Sowjetunion?

GW Als seine Arbeit *Marxismus und Fragen der Sprachwissenschaft* erschien, fanden wir das einen ziemlichen Blödsinn. Das sollte nun der Gipfel der wissenschaftlichen Erkenntnis sein?

CW Er schrieb, die Sprache sei klassengebunden. Das war nichts Neues oder Besonderes. Und wir mussten das studieren. Wir fanden das einfach nicht so dolle.

GW Bei jeder FDJ-Versammlung wurde ein Ehrenpräsidium gewählt. Da hieß es immer: »Wir wählen in das Ehrenpräsidium den Genossen Stalin!« Dann sprangen alle auf, klatschten und setzten sich wieder hin. Dann ging es weiter: »Wir wählen den Genossen Mao Tse-Tung!« Da konnten wir nicht so richtig mitklatschen. Wenn wir nach diesen Versammlungen nach Hause gingen, fragten wir uns: Was soll das eigentlich? Na gut, das sind die Erscheinungen der Übergangszeit, die Kinderkrankheiten des Kommunismus, das wird sich alles legen. Richtig ins Zweifeln gerieten wir erst, als wir die Schlotterbecks[46] kennenlernten. Friedrich Schlotterbeck war während der Nazizeit im KZ gewesen, seine ganze Familie war umgebracht worden. Und er wurde von uns, in der DDR, wieder verurteilt während unserer kleinen stalinistischen Slánský-Prozesse[47]. Die Schlotterbecks klärten uns über die Geschichte und die inneren Bewegungen der Kommunistischen Partei auf, Anna Schlotterbeck war vor 1933 im Zentralkomitee gewesen.

JS Wann habt ihr sie kennengelernt?

GW Nach 1962, als wir von Halle nach Kleinmachnow zogen. Das waren authentische Berichte von leibhaftigen Kommunisten, die alle Konflikte kannten.

CW Wir zogen aus Halle weg, weil wir große Auseinandersetzungen mit der Partei hatten.

GW Es gab eine böse Kritik von Horst Sindermann über den *Geteilten Himmel*. Sindermann war damals Erster Sekretär der SED-Bezirksleitung Halle. Er schrieb etwas von dekadenter Lebensauffassung und einer falschen Darstellung der deutschen Teilung. Ihre Bedeutung werde in dem Buch zu stark betont – eine Liebe, die an der Teilung zerbricht! Es war ein überraschender und heftiger Angriff.

JS Vor den Schlotterbecks hattet ihr keine »leibhaftigen Kommunisten« getroffen?

CW Doch, der Lyriker Louis Fürnberg[48] hat uns nach dem XX. Parteitag der KPdSU geschrieben: Tauwetter, endlich kann ich wieder schreiben! Wir haben die Konflikte schon mitbekommen, Fürnberg ist dann aber bald gestorben.

GW Herzinfarkt mit 49! Die Enthüllungen über Stalin hat er nicht mehr verkraftet. Das war zu viel.

JS Ich habe meine Magisterarbeit über Chruschtschow und die Tauwetterperiode geschrieben. Als Chruschtschow in seiner Geheimrede auf dem XX. Parteitag 1956 den Personenkult und die Verbrechen Stalins verurteilte, wie wurde das in der DDR aufgenommen?

CW In der Parteiversammlung wurde aus dem Geheimbericht vorgelesen, und im Westrundfunk wurde er verbreitet.

GW Ich lag beim Ungarn-Aufstand 1956 im Krankenhaus.

JS War der Aufstand in Ungarn für euch auch die Konterrevolution?

CW Zunächst ja. Ich musste dann aber ins Krankenhaus, deine Tante Tinka wurde geboren. Da verfolgte ich das nicht mehr so intensiv.

GW Nun gut. Aber als dann die neue Regierung Nagy hingerichtet und Lukács verhaftet wurde – das war schon wieder etwas ganz anderes. Das fiel auch mit der Suezkrise zusammen. Es war eine heikle Situation.

JS Gab es da noch Diskussionen innerhalb der Partei, war das noch möglich?

CW Ich weiß es gar nicht, kann mich nicht erinnern.

GW Aus der Zeit kenne ich Heinrich Böll. Die meisten trauten sich nicht, uns DDR-Rundfunkredakteure zu empfangen. Wenn wir nach Westdeutschland fuhren, waren wir halbe Illegale und hatten keine Devisen. Böll empfing uns und diskutierte mit uns. Viele ließen uns nicht ein, hatten Angst vor den Kommunisten. Damals war vieles noch im Fluss. Das endete mit dem Ungarn-Aufstand. Bei uns wurde die Anti-Ulbricht-Gruppe abgesetzt, und die Harich-Prozesse[49] begannen, gegen einige Intellektuelle, die parteiinterne Reformen forderten. Das war der Schnitt.

CW Nach dem Ungarn-Aufstand merkte Gerd, dass es beim Rundfunk nicht mehr weiterging.

GW Nach dem 17. Juni wurden die Kampfgruppen in den Betrieben gegründet, ganz kurz war ich beim Rundfunk einmal Mitglied der Kampfgruppe, machte ein, zwei Ausflüge mit. Dann sollten wir zwei Kollegen aus der Partei ausschließen: einen Nachrichtensprecher, der aus Versehen »Kriegslager« statt »Friedenslager« gesagt hatte, und einen anderen, der in seiner Wohnung immer nackig herumlief …

JS … das entsprach nicht der sozialistischen Moral.

GW Ich wurde von der Parteileitung dazu verdonnert, das zu machen. Christa bekam einmal eine schwere Parteistrafe, weil sie ein Parteidokument verloren hat, das war ihr im Kaufhaus gestohlen worden.

JS Dafür kriegte man eine Parteistrafe?

GW Eine schwere Rüge. Das hat sie gerettet, deshalb musste sie nicht auf die Parteischule. Beim Rundfunk gab es eine Genossin, die sagte: »Wisst ihr, wo ich meine Parteidokumente trage, damit niemand darankommt? Im Höschen!«

JS Ihr hattet ja seltsame Leute da!

GW Das waren komische Typen. Einmal hatten wir einen sehr guten Essay von Hans Mayer. Darin schrieb er, dass die deutsche Literatur im Vergleich zur Opulenz der Literatur der zwanziger Jahre kein Gewicht habe. Die DDR-Literatur – das seien rot angestrichene Gartenlauben … solche Formulierungen verwendete er. Ich war Kulturchef des Deutschlandsenders und zeichnete die Sendung ab, Sendungen wurden ja abgenommen. Dann las noch jemand aus der Chefredaktion den Essay, setzte kurzfristig die Sendung ab und sprach stattdessen selbst. Davon wusste ich aber nichts.

Abends ging ich mit Kollegen in den Presseclub in der Friedrichstraße. Überallhin hatten wir Telegramme geschickt, auch an Böll. Sie sollten sich die Sendung mit Mayer anhören. Wir saßen zusammen und wollten feiern, und da kam plötzlich einer und sagte: »Da habt ihr euch was geleistet, den Mayer abzusetzen und so ein Arschloch sprechen zu lassen.«

Mit dem Ungarn-Aufstand brachen auch unsere wichtigen Arbeitsverbindungen in den Westen ab. Das war eine Zeit, in der ein Mitarbeiter, der sich für Jazzmusik einsetzte, direkt aus einer Versammlung heraus verhaftet wurde. Da war ich aber schon nicht mehr beim Rundfunk. Das erzählten mir die alten Kollegen im Nachhinein. Ich hörte 1957 beim Rundfunk auf. In dieser Zeit fanden die Prozesse gegen Wolfgang Harich und Walter Janka[50] statt. Ich hätte mich beim Rundfunk ziemlich verbiegen müssen, um weiter Karriere zu machen. Um Gottes willen! Mir gefiel nicht, was Leute wie Karl-Eduard von Schnitzler[51] von sich gaben und wie die sich gebärdeten. Das kannst du dir verkneifen, sagte ich mir. Also setzte ich mich ab und erklärte, dass ich mich mehr der wissenschaftlichen Arbeit widmen wolle.

JS Meinst du Karl-Eduard von Schnitzler, der später im DDR-Fernsehen den *Schwarzen Kanal* moderierte? Der war damals schon so extrem?

GW Der war ein ganz wichtiger furchtbarer Kerl.

Ein Wagen nähert sich der Einfahrt. Mein Freund Frank kehrt vom Einkauf zurück. Er setzt sich zu uns. Es ist früher Abend und noch immer sehr warm. Meine Großeltern und ich haben drei Stunden lang geredet, wir sind ermattet und überlegen, noch an den See zu gehen. Frank zündet sich eine Zigarette an, mein Großvater blickt ihn besorgt an.

GW *(zu Frank)* Hast du Zigaretten gekauft?

FR Martin[52] hat mir eine gedreht.

GW *(zu CW)* Willst du noch baden gehen?

CW Ich habe Hunger. Wenn ich viel erzähle, kriege ich immer Hunger.

Woserin, 22. März 2008

Eigentlich gibt es keine richtige Erklärung für die neun Jahre währende Pause unserer Gespräche. Vielleicht diese: Wir waren alle sehr mit unseren Leben beschäftigt. Die Kraft der Gegenwart: Meine Großeltern schrieben und verlegten Bücher, organisierten Ausstellungen, und besonders meiner Großmutter ging es gesundheitlich nicht gut. Ich arbeitete weiter als Journalistin, inzwischen seit einigen Jahren für Die Zeit, *und veröffentlichte auch ein Buch. Meine Großeltern und ich sehen uns regelmäßig, einmal verbringen wir mehrere Monate gemeinsam in ihrem Sommerhaus, aber unsere Gespräche führen wir nicht weiter.*

Im Januar 2008 erfahre ich, dass ich schwanger bin. Meine Großeltern freuen sich, das erste Urenkelkind. Das ist der Augenblick, in dem mir unser Projekt wieder in den Sinn kommt, es wieder in den Vordergrund drängt. Die ursprüngliche Idee der Gespräche war, dass ich einmal meinem Kind etwas über unsere Familie erzählen könnte. Nun interessieren mich auch andere Fragen: Wie meine Großeltern ihre Töchter erzogen haben, wie sie es geschafft haben, Arbeit und Familie zu vereinbaren. Das erklärt auch, warum wir uns in diesem Jahr gleich dreimal treffen. Wir müssen nachholen. Meine Großeltern sind fast achtzig Jahre alt, ich bin inzwischen 35.

Zu Ostern fahre ich zu ihnen nach Mecklenburg, ein paar Freunde und die gesamte Familie sind dort versammelt. Es regnet fast die ganze Zeit, das große alte Pfarrhaus erwärmt sich nur langsam. In Wolldecken gehüllt sitzen wir an einem

Nachmittag in der Küche meiner Großeltern an jenem langen Holztisch, der früher in ihrer Berliner Küche stand. Ich kenne ihn seit meiner Kindheit, er erinnert mich an viele Essen, Feste und Gespräche. Meine Großmutter hockt auf der Bank, mein Großvater daneben auf einem Stuhl. Wir trinken Kaffee. Am Vorabend saß die Familie lange zusammen. Meine Cousine Helene ist aus Brüssel angereist und hat von ihrer Arbeit erzählt.

JS Wie fandest du das gestern, Oma, was Helene über ihre Arbeit bei der International Crisis Group[53] erzählt hat? Klang das für dich sehr fremd, du hast gesagt: Du kämst dir ausrangiert vor.

GW Wieso?

CW Nicht inhaltlich. Es ist ein zwiespältiges Gefühl. Einerseits finde ich toll, was Helene macht, auch wie sie darüber erzählt. Andererseits ist mir völlig klar, das ist gar nicht mehr meine Welt. Ich versuche, das zu verstehen.

GW Ich halte dieses Engagement für eine ehrenhafte Sache, aber für völlig vergeblich.

CW Vielleicht ist es doch nicht ganz vergeblich.

JS Warum vergeblich?

CW Weil ganz andere Kräfte am Wirken sind. Aber irgendwelche Gegenkräfte müssen sich ja etablieren.

JS Ich habe in London studiert, war viel im Ausland. Helene führt ein internationales Leben, hat auch in London studiert, arbeitet jetzt in Brüssel, danach geht sie vielleicht wieder woandershin. Hättet ihr so etwas auch gern einmal gemacht?

CW Darauf kann ich gar nicht antworten, weil das so außerhalb jeder Vorstellung für uns lag, dass man es sich nicht einmal wünschen konnte. Ich empfinde das aber als sehr zeitgemäß.

GW Ist doch wunderbar, einen Job zu haben, in dem man etwas bewegen kann.

Mein Großvater steht auf und läuft zum Küchenschrank. Er sucht etwas.

GW Die ganzen Marmeladen sind weg!

CW Tinka hat erklärt, das seien Wandermarmeladen!

GW Ach so!

Wir lachen.

JS Ich frage mich, wie ihr das heute wahrnehmt – das viele Reisen eurer Enkel?

CW Wenn ich Helene höre, das Denken ist in der jungen Generation viel differenzierter und entwickelter als unser Denken zu der Zeit. Als ich 25 war, das war 1954, hatte ich die Universität hinter mir, hatte meine erste Stelle im Schriftstellerverband, hatte mein erstes Kind. Ich ging zur Arbeit, Gerd war beim Rundfunk, wir wohnten in Berlin-Karlshorst. Es ging im Grunde um die DDR, darum, die Menschheit zu überzeugen, dass wir ein blühendes sozialistisches Land aufbauen wollen, und darum, dass auch möglichst zu schaffen. Vom Stalinismus wussten wir, wie schon gesagt, zunächst nichts. Das erfuhren wir später vor allem von Louis Fürnberg, der nicht damit hinter dem Berg hielt, dass er bei den Slánský-Prozessen gefährdet war.

GW Weil er das Lied von der Partei geschrieben hatte!

JS Was war das Lied von der Partei?

GW *(summt)* »Die Partei, die Partei, die hat immer recht!« Er war eigentlich ein sehr sensibler Lyriker.

JS Warum war ausgerechnet er in Gefahr?

GW Er arbeitete als Kulturattaché an der tschechischen Botschaft in der DDR, und alle, die etwas mit Slánský zu tun hatten und Juden waren, waren gefährdet. Der tschechische Botschafter ist erschossen worden. Fürnberg sagte immer: »Mich haben sie vergessen!« Er wurde nur nach Prag zurückbeordert und bekam dort im Schulministerium einen neuen Posten. Bei Fürnbergs im Vestibül hing ein Bild seines jüdischen Großvaters.

CW Wenn die Fürnbergs nachts im Bett lagen, sagte er zu seiner Frau: »Wenn die kommen, um mich zu holen, glaube bitte niemals, dass ich parteifeindliche Dinge gemacht habe.« So war das.

JS Bis in die Familie hinein reichte das Misstrauen.

CW Bis tief in die Familien reichte vor allem die Angst.

JS Das muss euch in eurem Glauben an den blühenden Sozialismus doch schon sehr erschüttert haben!

CW Das bewirkte, dass wir entschlossen waren, den Stalinismus aus der Partei zu verbannen. Damit sie überhaupt wieder als kommunistische Partei wirksam sein konnte. Wir bemühten uns seit Ende der fünfziger Jahre, in der Kulturpolitik im Rahmen unserer kleinen Möglichkeiten Kritik zu üben, normale Verhältnisse durchzusetzen.

GW Chruschtschow war so ein Lichtblick. Der Westen war für uns nie eine Alternative. Und wenn man sieht, was dort los war, hatten wir eigentlich recht. Wie viele alte Nazis in der Bundesrepublik das ganze System durchdrungen hatten.

CW Im Westen war für uns zu viel Faschistisches geblieben.

JS Im Osten gab es doch auch alte Nazis.

GW Aber im Westen war der ganze Apparat von ihnen durchsetzt. Natürlich gab es auch im Osten alte Nazis, sie waren aber umgeschult oder umerzogen worden. Sie waren durch die Lager gegangen und verhielten sich danach oft besonders dogmatisch oder parteitreu.

CW Es gab auch Menschen wie den Schriftsteller Franz Fühmann[54], der nie verheimlichte, dass er ein Jungnazi und in der Wehrmacht gewesen war. Der sagte, er wisse nicht, zu welchen Schandtaten er bereit gewesen wäre, wenn man ihn dazu getrieben hätte. Was er gemacht hätte, wenn er an den Öfen von Auschwitz gestanden hätte. Ich fand, er ging in seiner Selbstbeschuldigung ein bisschen zu weit. Er arbeitete das sehr intensiv auf, andere schwiegen darüber. Und drüben, im Westen, sahen wir die Vertriebenenverbände, damit konnten wir uns überhaupt nicht identifizieren.

JS Habt ihr damals oder später einmal darüber nachgedacht, in den Westen zu gehen, oder war das nie eine Option für euch?

CW Das ist ganz schwer zu formulieren. Wenn ich sage, wir haben darüber nachgedacht, ist es zu viel. Und wenn ich sage, wir haben nie daran gedacht, ist es zu wenig. Es gab eine Zeit, nach der Biermann-Ausbürgerung 1976, in der viele Kollegen weggingen, in der wir auch merkten, dass deine Mutter Annette und Honza sehr darüber nachdachten. Ich erinnere mich genau, wie ich neben Gerd im Auto sitze, den Atlas auf den Knien halte und darin blättere: Wohin könnte man gehen? Westdeutschland kam nicht in Frage. Straßburg im Elsass kam uns einmal in den Sinn, dort sprechen sie auch deutsch. Es ging auch um die Sprache. Wo kann ich deutsch schreiben. Also eventuell Straßburg. Es ist dann doch nicht dazu gekommen.

JS War das eine ernsthafte Überlegung?

CW Es war einfach so, dass man nicht mehr wusste, wohin man gehörte. Andererseits steckten in unserem Briefkasten Zeitungen, auf deren Ränder Leute geschrieben hatten: »Bleiben Sie bloß hier! Gehen Sie nicht auch noch weg!« Man hatte schon das Gefühl, gebraucht zu werden und nicht abhauen, nicht flüchten zu wollen. Nach der

Biermann-Sache[55] waren wir 1977 zu einer Kur in Hévíz in Ungarn. Als wir zurückfuhren, dachte ich die ganze Zeit darüber nach, was wir machen sollten. Ich war völlig besetzt von diesen Problemen. Ich saß im Bus nach Budapest und sagte mir, also wenn ich weiter schreiben kann – ernsthaft und ohne mich zu verbiegen, dann kann ich bleiben. Wenn ich das nicht mehr kann, muss ich gehen. Danach habe ich *Kassandra* geschrieben und hatte das Gefühl, das gibt mir das Recht zu bleiben.

JS Aber du musstest deine Manuskripte immer einem Zensor vorlegen, oder?

CW Ich musste sie beim Aufbau Verlag einreichen, und der hat sie dann an den Zensor weitergeleitet. Das *Kassandra*-Manuskript gab ich zuerst dem westdeutschen Luchterhand Verlag. Ich wollte, dass das Buch in beiden Teilen Deutschlands möglichst gleichzeitig erscheint, weil das bei uns in der DDR der Sache mehr Möglichkeiten verschaffte. Dann hörte ich lange nichts vom Aufbau Verlag …

JS *Kassandra* war doch nicht das erste Buch, bei dem das so war?

CW Nein, bei *Nachdenken über Christa T.* gab es viel mehr Ärger. Aber bei *Kassandra* wurde ich in den Verlag bestellt. Ich dachte, die werden sich auf die Erzählung stürzen, die werden merken, dass ich darin behaupte, die DDR werde untergehen. Im übertragenen Sinne zu Troja. Haben sie aber nicht, sie haben sich nicht getraut, Parallelen zu sehen. Der Verlag war eigentlich immer ein Bundesgenosse, die Lektoren mussten auch taktieren und sehen, wie sie klarkamen. Die Cheflektorin bestellte mich also zu sich und sagte, ich bekäme die Druckgenehmigung, wenn ich einige Stellen aus den Vorlesungen wegließe.

JS Welche Stellen waren das?

CW Das betraf die Stellen, in denen ich ein Gleichheitszeichen zwischen den Kriegsvorbereitungen im Osten und im Westen gemacht hatte. In denen ich geschrieben hatte, wenn die anderen nicht aufhören aufzurüsten, sollten wir zuerst damit aufhören und abrüsten. Darüber waren die Zensoren empört. Sie zeigten mir die Stellen. Es betraf etwa 63 Zeilen. Ich sagte: Erstens habe ich dem Westverlag gerade das Startzeichen für den Druck gegeben. Ich wusste, die veröffentlichen das Buch dort ungekürzt und die DDR-Leser würden sich das schon beschaffen, was sie dann auch taten. Zweitens, ich mache das nur, wenn diese Stellen gekennzeichnet werden – mit Punkten und Auslassungszeichen und darunter steht »gekürzte Fassung«. Das hatte es in der DDR noch nie gegeben. Aber der Verlag ließ sich darauf ein, ohne weiter zu fragen. Hinterher gab es deshalb unheimlichen Ärger. Von drüben wurde die ungekürzte Fassung eingeschmuggelt, und die DDR-Leser schrieben die betroffenen Stellen auf Durchschlagpapier heraus und gaben sie weiter. Nach der Wende hat mir jemand einmal ein Exemplar mit diesen eingefügten Seiten geschenkt.

JS Das war der Kompromiss, den du bereit warst zu machen?

CW Ich hätte es nicht gemacht, wenn ich nicht gewusst hätte, dass es durch die Veröffentlichung im Westen sowieso herauskommt.

JS Ohne den Westen wäre es nicht gegangen, sonst wären die Bücher gar nicht erschienen?

CW Von einem bestimmten Punkt an war der Westen eine Hilfe. Besonders die Verlage, die sich darauf einstellten und nicht provozierten, wie zum Beispiel der Luchterhand Verlag und dessen Verlagsleiter Hans Altenhein[56], mit dem wir uns sehr gut verstanden. Mit ihm konnte man die Taktik besprechen, was man wann und wie druckt. Wir hatten bestimmte Codes, wie man etwas ausdrückte. Bei Luchterhand hatten wir eine Lektorin, die sich um ostdeutsche Literatur kümmerte und auch oft in den Osten reiste. Ihr gaben wir Hinweise, was sie drucken und um welche Autoren sie sich kümmern sollte. Inoffiziell.

JS Was für Codes meinst du?

CW Dass man am Telefon bestimmte Dinge nicht sagte, der andere aber trotzdem verstand. Das ist heute ganz schwer zu erklären. Es lag sozusagen etwas in der Luft. Später lasen wir in unseren Stasiakten: »Die haben wieder mit dem Verlag telefoniert.« Die Stasi stellte sich mehr Codes vor, als tatsächlich da waren, interpretierte harmlose Äußerungen als verschlüsselte Botschaften. Das war um sieben Ecken verrückt. Da existierte man in einem sehr merkwürdigen Koordinatensystem. Mit der Zeit wurde das normal. So lebte man eben.

JS Ihr habt den Irrsinn nicht mehr gemerkt?

CW Teils, teils. Wir haben gemerkt, wie groß der Anteil der Stasiüberwachung in unserem Leben war, wie weit sie gingen, um uns zu beobachten. Einerseits wussten wir das, andererseits machten wir uns auch darüber lustig. Wenn es beim Telefonieren in der Leitung knackte, sagten wir: Aha, jetzt sind sie wieder drin. Mein Bruder Horst bemerkte grundsätzlich am Telefon: »Nun sind die Herren wieder drin. Sie können ruhig ausschalten. Wir sagen nichts Staatsfeindliches.«

JS Ich begrüßte die Zuhörer am Telefon immer: »Hallo an alle, die mithören!« Es war ja klar, dass auch wir abgehört wurden. Das machte man auch, um die Tatsache nicht so nah an sich heranzulassen, dass es vielleicht gefährlich sein könnte.

CW Das stimmt schon. Man hat es dadurch ein wenig verharmlost. Aber als wir später in unseren Akten lasen, dass die Stasi tatsächlich seit 1969 unser Telefon abhörte … da waren wir doch erstaunt. Es war mehr und länger, als wir gedacht hatten.

JS Seit 1969, das ist ganz schön früh. Nach dem Prager Frühling 1968.

CW 1969 wurden wir einem gefährlichen Kreis zugeordnet. Die Stasi nannte ihn »Operativer Vorgang Doppelzüngler«[57]. Das war ein Maßnahmeplan zu unserer Überwachung. Der setzte ein, als wir in Kleinmachnow wohnten. Das war sehr intensiv.

JS Du meinst den Kreis um die Schlotterbecks in Kleinmachnow?

CW Zuerst haben sie einige dazugezählt, die gar nicht zu uns gehörten …

GW Ich war zuerst in einer anderen Gruppe, die hieß »Skorpion«, darin waren mehrere Kleinmachnower. Dann wurden wir zum »OV Doppelzüngler«.

JS Habt ihr damals schon vermutet, dass ihr überwacht werdet?

CW Nein, damals noch nicht.

GW Na, doch. Einmal lag ein Mann unter unserem Fenster in Kleinmachnow. Wir saßen beim Essen, und plötzlich sprang jemand vor unserem Fenster auf und lief weg. Die Stasi hörte nicht nur unser Telefon ab. Da gibt es diese hübsche Geschichte, wie ich mit einem Dramaturgen der DEFA telefoniere. In der Akte steht dann: »Herr Wolf legt den Hörer auf und sagt ins Zimmer hinein: Das ist aber ein Arschloch!«

Wir lachen.

CW Ich muss es immer wieder sagen, eine Zeitlang ging es darum, ob das nun »unsere« sind oder nicht.

JS Was meinst du mit »unsere«, auf eurer Seite?

CW Die Schwierigkeit lag darin, sich klarzumachen, dass die eben nicht auf unserer Seite waren. Lange dachte ich, ich muss die davon überzeugen, dass wir auf derselben Seite stehen. Bei *Der geteilte Himmel* fing es an, da dachte ich noch, ich will dasselbe wie diese Parteifunktionäre, aber dann merkte ich schon, nein, das stimmt gar nicht. Ich will nicht dasselbe wie sie. Einerseits wurde es dadurch schwieriger, Kritik zu üben, weil wir in die Opposition gehen mussten, andererseits wurde es auch leichter, weil der innere Konflikt nicht mehr so heftig war.

JS Wo hast du dann versucht, Kritik zu üben? Auf Parteiversammlungen?

GW Auf dem 11. Plenum des Zentralkomitees der SED 1965, auf dem die Künstler angegriffen wurden, da war Christa die Einzige, die widersprach. Das war die große Stunde der Bewährung.

CW Und danach bei allen möglichen Gelegenheiten.

GW Zum Beispiel waren wir 1963 bei einer Tagung in Prag. Dort bekam Christa ein Telegramm, dass sie sofort in die DDR zurückkehren solle. Sie wusste aber nicht, warum. Christa wurde überredet, ins Zentralkomitee der SED zu gehen. Die Genossen sagten, vieles werde besser werden und sie bräuchten kritische Stimmen, und so einen Unsinn.

JS Wer hat dich überredet, Oma?

CW Der Regisseur Konrad Wolf. Als ich aus Prag kam, war die Kandidatenliste schon fertig, und ich stand darauf. Ich kriegte einen Schock. Als ich sagte, dass ich nicht wolle, meinte der Schriftsteller und Parteifunktionär Alfred Kurella[58]: »Du hast keine Ahnung, was dann losgeht.« Konrad Wolf sagte, es gehe ein neuer antistalinistischer Zug durch die Partei und sie bräuchten Leute im ZK, die unsere Interessen vertreten.

GW Deswegen war es auch schwer, da wieder herauszukommen. Wir beide hatten wüste Auseinandersetzungen. Ich habe Christa gesagt, sie solle das nicht machen, aber es war natürlich schwer, da nein zu sagen.

CW Dann geschah etwas Skurriles: Eine Art reitender Bote kam zu mir und sagte, ich sei Kandidatin des ZK und würde nun 200 Mark im Monat kriegen und eine Pistole. Ich lehnte ab und sagte, ich bräuchte keine Aufwandsentschädigung. Ich könne gut von dem leben, was ich schriebe, und eine Pistole nähme ich auf keinen Fall, weil ich niemals auf einen Menschen schießen würde und auch keine im Haus haben wolle. Der Bote meinte, man könne doch nie wissen, ob man in eine Situation gerate, in der man sich als Genossin verteidigen müsse. Und ich sei die Einzige, die das ablehne. »Na gut, dann bin ich eben die Einzige«, sagte ich.

JS Das war vor dem 11. Plenum?

CW Das war, nachdem ich auf dem SED-Parteitag 1963 zur Kandidatin gewählt worden war. Kandidatin war man, bevor man volles ZK-Mitglied wurde. Zur ersten Sitzung ging ich mit Otto Gotsche, dem Sekretär von Ulbricht, ein schwacher Schriftsteller, der hatte sich vorgenommen, mich unter seine Fittiche zu nehmen. Ich fragte ihn: »Hat denn hier schon mal einer gegen einen Beschluss gestimmt?« Worauf er antwortete: »Du musst noch viel lernen, Mädchen!« Da nahm ich mir fest vor: Nein, das lerne ich nie!

GW Daran hat sie sich beim 11. Plenum gehalten.

JS Das musst du jetzt einmal genauer erzählen, Oma!

CW Im Dezember 1965 fand das 11. Plenum des ZK der SED statt. Eigentlich war es als ein Wirtschaftsplenum geplant. Es sollten Wirtschaftsreformen und ein neues ökonomisches System der Planung und Leitung der Volkswirtschaft, kurz NÖSPL, eingeführt werden. Aber es gab Schwierigkeiten. Dieses Programm war im Vorfeld in Moskau auf Kritik gestoßen. Außerdem hatten Jugendliche in Leipzig gegen das »Beatverbot« protestiert, zuvor waren fast alle Beatgruppen in der DDR verboten worden. Da kam die Parteiführung auf die glorreiche Idee, auf die kamen sie stets in solchen Momenten, dass die Kultur an allen Problemen schuld sei. Die Filme *Denk bloß nicht, ich heule* und *Das Kaninchen bin ich* waren in Vorbereitung.

JS Und das Buch von Werner Bräunig[59] über die Wismut AG!

CW Ja, *Rummelplatz* – das war überhaupt der Anlass, das war das Schlimmste. Ein paar Wochen vor dem Plenum gab es eine Zusammenkunft zwischen Walter Ulbricht und Künstlern. Er liebte es, mit Künstlern zusammenzutreffen.

JS Das mögen führende Politiker bis heute gern: Gerhard Schröder, Kurt Beck, Franz Müntefering, Angela Merkel.

CW Ach, Merkel auch? In dem Fall traf sich Ulbricht nur mit Schriftstellern. Und zwar im damals neuen Staatsratsgebäude. Ich war dort zum ersten Mal. Uns wurde zum Beispiel stolz der tolle Mechanismus vorgeführt, wie sich die Vorhänge von allein öffneten und schlossen. Wir waren ungefähr zwanzig bis dreißig Schriftsteller, ein paar Funktionäre und eben Ulbricht. Als wir ankamen, wartete oben an der Treppe der damalige Erste Sekretär des Schriftstellerverbandes Hans Koch, ein Funktionär, der eigentlich Philosoph war und immer sehr viel Angst hatte. Koch hatte begriffen, dass das, was offiziell lief, einfach Mist war, fürchtete sich aber schrecklich davor, dazu Stellung zu nehmen. Er begrüßte uns mit wabbelnden Wangen und sagte: »Heute wird es ganz schlimm, ihr werdet sehen!« Da ich Kandidatin des ZK war, saß ich an der Hufeisentafel auf der Seite von Walter Ulbricht. Der hielt ein Kurzreferat und ging mit einem Mal auf Werner Bräunig los. In der *Neuen Deutschen Literatur*[60] waren zuvor Auszüge aus *Rummelplatz* erschienen. Das wurde plötzlich als eine unglaubliche Provokation und als eine Verzerrung der Wirklichkeit empfunden. So sei es in der Wismut nie gewesen, und das müssten wir uns nicht bieten lassen. Der Genosse Bräunig habe sich vollkommen verrannt, er müsse zurückgepfiffen werden. Er wurde sehr scharf angegriffen.

JS Hattet ihr alle *Rummelplatz* gelesen?

CW Die zwei Kapitel in der *Neuen Deutschen Literatur* hatte ich gelesen. Die anderen kannten das sicherlich nicht alle. Nun sollte es eine Diskussion geben, aber kein Mensch sagte ein Wort. Das war unheimlich peinlich. Dann hieß es: Na ja, wenn ihr nicht reden wollt, dann machen wir erst mal eine Pause. Da liefen die Funktionäre herum und sagten: Um Gottes willen, jetzt sagt doch bloß mal was, das kann doch nicht so bleiben! Wir setzten uns wieder hin, und ich sah, dass Ulbricht etwas zugeschoben wurde. Es war die *NDL*, aufgeschlagen und mit Anmerkungen an den Stellen, die man nicht dulden wollte. Das heißt, Ulbricht hatte die beiden Kapitel vorher gar nicht gelesen. Da dachte ich, nun kann ich nicht den Mund halten. Also sagte ich, ich hätte den Text anders interpretiert, keineswegs DDR-feindlich.

Sehr schön war, dass sich auch Anna Seghers für Bräunig einsetzte. Dann wurde noch über andere Themen diskutiert. Im Schlusswort hieß es auf einmal, es sei alles nicht so schlimm. Wir wissen doch, dass Genosse Bräunig ein guter Genosse ist. Es gab plötzlich einen anderen Tonfall. Die Sitzung war zu Ende, und ich ging auf die Toilette. Dort traf ich die Sekretärin von Kurt Hager, dem höchsten SED-Ideologiechef, und die sagte zu mir: »Du ahnst ja nicht, was Anna und du heute hier verhindert habt.« Ich dachte, vielleicht haben wir tatsächlich etwas verhindert. Aber das kam mit erhöhter Wucht auf dem 11. Plenum.

JS Und die anderen Schriftsteller, die dabeisaßen, sagten nichts?

CW Doch, einige. Das 11. Plenum war etwa vier Wochen später, und inzwischen war einiges geschehen. Kurz zuvor hatte sich ein hochrangiger SED-Funktionär, Erich Apel[61], umgebracht. Er hatte einen Handelsvertrag mit der Sowjetunion nicht unterzeichnen wollen, weil er der Meinung gewesen war, der fiele zuungunsten der DDR aus. Apel hatte sich in seinem Büro erschossen. Zu Beginn des Plenums sagte Ulbricht, der Genosse Apel sei gesundheitlich nicht ausreichend betreut worden. Wir müssten darauf achten, uns mehr um unsere Genossen zu kümmern, die arbeiteten zu viel. Er sagte, es gebe ein Tagebuch vom Genossen Apel, aus dem hervorgehe, dass er zu viel gearbeitet habe. Wer das Tagebuch sehen wolle, solle sich melden. Natürlich hatte keiner den Mumm, sich zu melden. Ich auch nicht. Nach dem Mauerfall erzählte ich diese Geschichte auf einer Tagung. Da rief mich eines Tages eine Frau an und sagte: »Ich bin Frau Apel, die Frau des Erich Apel, und ich höre zum ersten Mal, dass mein Mann ein Tagebuch geführt haben soll. Ich hatte keine Ahnung. Wissen Sie da mehr?« Es hat bestimmt kein Tagebuch gegeben. Jedenfalls wollte man auf dem 11. Plenum mit einem wie Bräunig nicht mehr sanft umgehen. Es brauchte Anlässe, um zu zeigen, dass die Schriftsteller und ganz besonders die Filmemacher aus dem Ruder geraten waren. Und eben der arme Bräunig. Das war furchtbar, weißte! Da war eine solche Stimmung …

JS Kurz noch: Wo tagte das Plenum überhaupt?

CW Im Zentralkomitee am Werderschen Markt in Berlin in einem großen Saal.

JS Hast du vor dem Plenum schon geahnt, dass es schlimm werden würde?

CW Dass es so schlimm werden würde, ahnte ich nicht. Es war die erste große Kontroverse zwischen Honecker und Ulbricht. Honecker war ganz auf Seiten Moskaus und wollte dieses staatliche Reformprogramm zur Planwirtschaft, dieses Neue Ökonomische System der Planung und Leitung (NÖSPL), nicht. So wurde es ein Kulturplenum.

JS Wie war das, als du morgens dort ankamst, hattest du dich auf etwas vorbereitet?

CW Mir war jedes Mal schuckerig, wenn ich ins ZK ging. Ich bin da unheimlich ungern hingegangen. Kurt Seibt, ein alter Genosse und Erster Sekretär der Bezirksleitung Potsdam, der in der Nazizeit im Zuchthaus gesessen hatte, holte mich immer mit dem Auto aus Kleinmachnow ab und brachte mich auch wieder zurück. Der hatte sich ein bisschen in mich verguckt, saß neben mir im Auto, hielt meine Hand und versuchte immer, mich zu besänftigen: »Mädchen, wir haben viel Schlimmeres erlebt, nun sei mal ruhig.«

JS Hattest du Angst?

CW Ja, an dem Tag hatte ich Angst, bevor ich geredet habe. Am Anfang noch nicht, aber als es losging. Diese aufgeheizte Stimmung. Erst mal wurde dargestellt, wie furchtbar sich die Kunst und besonders die Filmkunst in der DDR entwickelt hätten. Es wurde dazwischengebrüllt: »Hört, hört!« und »Schweinerei!« Dann wurde mitgeteilt, die betroffenen Filme würden am Abend gezeigt werden. Da ging ich nicht hin. Ich konnte die Stimmung dort nicht ertragen. Während der drei Tage des Plenums übernachtete ich bei unseren Freunden Jeanne und Kurt Stern[62], die in Pankow wohnten. Jeden Abend ging ich zuerst zu Konrad Wolf und dann zu den Sterns. Wir waren alle in dieser Verfassung: Um Gottes willen, was passiert jetzt!

Als das Hauptreferat von Honecker vorüber war, kam der Beitrag von Paul Fröhlich, dem Ersten Sekretär der SED-Bezirksleitung Leipzig, ein übler Typ. Darin nannte er den Schriftstellerverband einen Petőfi-Club[65]. Mir war klar, wenn das unwidersprochen bleibt, können wir einpacken. Dann ist der Schriftstellerverband erledigt, und die Autoren stehen alle als »Konterrevolutionäre« da. Abends war ich wieder bei Konny Wolf, der sagte: »So, jetzt musst du sprechen! Das geht nicht!« Bei den Sterns diskutierten wir noch darüber, was ich sagen sollte, aber ich konnte keine Rede ausarbeiten. Am nächsten Tag ging ich wieder dorthin und war sehr aufgeregt.

JS Da hat man Schiss.

CW Ja klar, Mensch. Es herrschte eine solch aufgeheizte Stimmung. Etwa 200 Leute waren da. Ich hatte das Gefühl, ich stehe vor Panzern, die mich überrollen. Morgens, wenn die Tagung begann, musste man seine Wortmeldung abgeben. Ich ging zum Tagungsleiter und sagte: »Ich werde sehr spät eine Wortmeldung abgeben, wahrscheinlich komme ich gar nicht mehr dran.« Worauf er erwiderte: »Du kommst auf alle Fälle dran, Genossin Wolf!« Dann ging ich auf meinen Platz und begann, mir ein paar Notizen zu machen. Aber das »Du kommst auf alle Fälle dran« bedeutete, der Redner sprach noch zu Ende, und sogleich wurde ich aufgerufen, obwohl ich ganz unten auf der Rednerliste stand. Wäre ich gründlicher vorbereitet gewesen, wäre alles logischer und besser gewesen. Aber es hat doch gereicht, dass sich alle sehr aufregten … Ich fing damit an, dass der Schriftstellerverband kein Petőfi-Club sei und dass man auf keinen Fall diesen Ausdruck stehenlassen könne. Diesen Satz haben sie später aus allen Protokollen gestrichen, sogar aus dem Protokoll, das ich als Kandidatin des ZK zugeschickt bekam. Auch aus der Rede von Paul Fröhlich war er raus. Erst nach dem Mauerfall habe ich das vollständige Protokoll bekommen, und da stand er wieder drin. Sonst hätte ich das gar nicht beweisen können. Dann redete ich allgemein und verteidigte auch Werner Bräunig. Es gab viele Zwischenrufe, besonders von Margot Honecker. Ulbricht sagte: »Lasst sie doch reden.« Die riefen: »Christa, hilf uns doch, anstatt gegen uns zu sein.« Ich sagte, dass man als Schriftsteller das freie Verhältnis zum Stoff haben müsse. Das wurde ausgelegt, als fordere ich die bürgerliche Freiheit für die Kunst. Ich zitterte und musste auch aufpassen, dass sie mich nicht selbst als »Konterrevolutionärin« abstempelten. Dann saß ich wieder auf meinem Platz, vollkommen fertig. Es gab eine Pause. Hinter mir ging ein

Schriftstellerkollege, der sagte: »So wie du müsste man eigentlich sprechen!« Ich sagte: »Na, und warum machst du es nicht?« Nach der Pause gingen die auf mich los. Zwischendrin verließ ich den Saal, ich war zu aufgewühlt. Draußen saß Anna Seghers, und ich erzählte ihr, was geschehen war. Sie meinte: »Sei doch froh, du hast deins gesagt.« Dann kam wieder einer: »Komm rein, Genossin Wolf, da wird zu dir gesprochen.« Die haben unheimlich auf mich eingedroschen, dass das alles abweichlerisch sei, dass ich nicht verstanden habe, dass die Partei jetzt etwas ganz anderes brauche als dieses freie Verhältnis des Schriftstellers zu seinem Stoff.

GW Ulbricht sagte am Ende: Es ging hier nicht um Kultur, es ging um Klassenkampf.

JS Hast du gefürchtet, dass dir etwas geschieht?

CW Nein. Angst hatte ich vor der Rede, danach war ich einfach erschöpft. Anna Seghers sagte in der Pause: »Komm mal mit, wir gehen rüber ins Ostasiatische Museum!« Ich: »Nee!« Sie: »Doch, doch!« Also wanderte ich mit ihr hinaus, auf der Straße fuhren viele Autos. Anna sagte, man müsse einfach loslaufen, da hielten die an. Sie hatte schon einmal einen sehr schweren Verkehrsunfall gehabt. »Ach, danach habe ich so schön schreiben können«, sagte sie.

JS War sie so etwas wie deine Mentorin?

CW Mentorin ist nicht das richtige Wort. In den ersten Jahren war sie eine beispielhafte Kollegin. Ich hatte immer ein sehr großes Interesse an ihr als Mensch. Je mehr ich von ihren Konflikten erfuhr, umso mehr Interesse hatte ich. Anna fragte andauernd Passanten, wie man zum Museum käme. »Anna, ich weiß es«, sagte ich. Wir gingen hinein, und sie sagte: »Guck doch mal, diese Leute durften nicht einmal Menschen darstellen und haben so schöne Sachen gemacht, Löwen, Pflanzen. Da geht's uns doch aber besser!« Dann gelangten wir in die Skulpturen-Sammlung, sie strich einer Jünglingsstatue über den Rücken und sagte: »Da könnte man doch glatt schwul werden.«

JS Hat dich das beruhigt?

CW Es war mir auf jeden Fall wichtig, dass Anna mir zustimmte. Sie fand immer, dass ich mich zu sehr aufrege. Einmal schrieb sie mir zu den Kritiken: »Das ist für den Kopf bestimmt, aber du lässt es dir immer zu Herzen gehen.« Sie hatte schon einiges hinter sich. Als das Plenum zu Ende war, veröffentlichte das *Neue Deutschland* Ausschnitte aus meiner Rede, aber natürlich nicht die, die darstellten, was ich wirklich wollte.

JS War dir klar, dass das 11. Plenum eine Katastrophe für die Kunst bedeutete?

CW Ja, sehr viele Filme wurden verboten, und ich wurde krank. Ich bekam eine richtige Depression im klinischen Sinne. Im Regierungskrankenhaus gab es einen klugen Psychiater, der mit meiner Kritik am Ganzen einverstanden war. Der merkte, dass ich aus dem Loch nicht herauskam, und sagte, er müsse mich einweisen, er übernehme die Verantwortung nicht mehr. Es wurde immer schlimmer. Mir war klargeworden, dass die ganze Sache schieflief. Dass das, was wir uns unter Sozialismus vorstellten, in der DDR absolut in die falsche Richtung ging. Ich wusste nicht, wie ich da noch schreiben sollte. Ich habe dann mit *Nachdenken über Christa T.* angefangen.

JS Wie hat Opa das gesehen?

CW Ganz genauso, aber nicht mit dem gleichen emotionalen Schauder. Ich war sechs Wochen in der Psychiatrie der Charité. Dort schrieb ich einen Brief an das ZK, dass ich krank geworden und den Anforderungen nicht gewachsen sei und dass ich nicht noch einmal als Kandidatin aufgestellt werden möchte. Danach kamen ein paar Vertreter des ZK mit einem Rosenstrauß ins Krankenhaus und wünschten mir alles Gute. Sie sagten, sie seien auch der Ansicht, dass es für mich zu anstrengend sei. Als sie gegangen sind, war ich unheimlich erleichtert. Das hatte es noch nie gegeben, dass jemand in diesem Gremium Kritik geübt hatte und sich dann wieder zurückziehen konnte. Das gab es einfach nicht.

JS Woher hattest du denn in dem Moment auf dem Plenum die Kraft zu widersprechen?

CW Du, Jana, das war ganz einfach. Ich dachte, wenn ich jetzt nichts sage, still dabeisitze und das damit sanktioniere, kann ich nie wieder schreiben. Das Schreiben war für mich auch ein moralischer Akt. Sonst hätte ich die Moral verwirkt. Abgesehen davon wollte ich mich für Werner Bräunig einsetzen, der später trotzdem unter die Räder kam. Das war ein Hauptmotiv in meinem Leben: Wenn ich Widerspruch einlegen musste, dachte ich zuvor, wenn ich jetzt nichts sage, kann ich nichts mehr schreiben …

JS Solche Zwangssituationen kenne ich in gewisser Weise noch aus meiner Kindheit, in denen ich das Gefühl hatte, das kann ich nicht so stehenlassen. Das war natürlich zu einer anderen Zeit und in einem anderen Rahmen. Aber ich erinnere mich an einen kleinen Privatkrieg mit meinem Wehrerziehungslehrer in der neunten Klasse. Er steigerte sich immer in Angriffe auf die »imperialistischen Kräfte« hinein. In einer Unterrichtsstunde ging es einmal um die US-Invasion in Grenada, und ich fragte ihn, ob die Russen nicht das Gleiche in Afghanistan täten. Er antwortete mit einer Geschichte: Ich solle mir vorstellen, ich sei mit meinem Freund im Wald und es kämen Männer, um mich zu vergewaltigen. Mein Freund würde nur danebenstehen und nichts dagegen unternehmen. Das fände ich doch sicher nicht richtig? So müsste ich mir das vorstellen, was die Russen in Afghanistan leisteten – Bruderhilfe. In der Klasse wurde gelacht, viele fanden das komisch. Von da an führte dieser Lehrer einen Kleinkrieg gegen mich, fragte ständig nach, ob auch »die Jana« nun alles richtig verstanden habe.

CW Ja, vom Charakter her sind das ähnliche Konflikte.

JS Ich hatte aber immer das Gefühl, dass mir eigentlich nicht viel passieren kann. Ich weiß nicht, wie das bei dir war.

CW Ich habe nicht gedacht, dass ich ins Gefängnis komme. Das war etwas, was ich ganz bestimmt nicht wollte. Davor füchtete ich mich. Ich verteilte keine Flugblätter wie einige andere 1968 gegen den Einmarsch der Warschauer-Pakt-Truppen in Prag. So etwas machte ich eben nicht. Ich unterschrieb aber auch nicht die allgemeine Erklärung des Schriftstellerverbandes, der dem Einmarsch zustimmte.

Deshalb wurde ich ins ZK bestellt und gefragt, warum ich nicht unterschrieben hätte. Ich antwortete, so viel Eigenverantwortung müsse ich haben können, um das selbst zu entscheiden.

GW Auf die Idee, Flugblätter zu verteilen, wären wir gar nicht gekommen. Das war die Protestform, die die jungen Wilden wie Thomas Brasch[64] oder Florian Havemann[65] wählten. Wir versuchten, uns taktisch zu verhalten. Christa unterschrieb nicht die Erklärung des Schriftstellerverbandes, sondern gab eine halbgewalkte Erklärung ab, in der sie sich zum Sozialismus bekannte, aber an die Vernunft appellierte. Dass sie dem Einmarsch nicht deutlich genug widersprach, wurde ihr später vorgeworfen.

CW Der Vorstand des Schriftstellerverbandes, in dem ich damals saß, gab natürlich eine Ergebenheitsadresse ab. Die haben Anna Seghers, Erwin Strittmatter und ich nicht unterschrieben. Ich verfasste eine eigene Erklärung, die im *Neuen Deutschland* abgedruckt wurde.[66] Der letzte Satz war: »Ich hoffe, die Vernunft wird siegen.« Danach sollte ich den Vorstand verlassen. Damit begann dieses Gefühl von *Kein Ort, nirgends.*

Richtig Angst hatte ich an dem Tag 1969, als deine Mutter zur Stasi musste. Ein Freund von ihr war auf dem Motorrad erwischt worden, er trug das *Manifest der 2000 Worte*[67] unterm Arm und sagte, Annette habe es aus Prag mitgebracht. Annette war 17, wurde von der Stasi zum Verhör abgeholt, und wir durften nicht mit. Gerd fuhr aber mit dem Auto hinterher. Ich saß oben auf der Terrasse bei uns und las von Solschenizyn *Krebsstation*, über eine Krebsstation in der Sowjetunion 1955, die wie eine Metapher für das kranke System wirkt.

GW Vorher passierte noch die Sache mit der Wandzeitung. Annette hatte 1968 an ihrer Schule zusammen mit anderen eine Wandzeitung zur Abstimmung über die neue Verfassung der DDR gestaltet, bei der sie sich mit dem fehlenden Artikel über Meinungsfreiheit aus der alten Verfassung auseinandersetzten. Es gab furchtbaren Ärger in der Schule. Seitdem war deine Mutter bei der Stasi registriert, immer wenn irgendwas vorfiel, wurde sie verhört. Annette selbst war nicht so stark gefährdet, sie bekam einen Verweis vor dem Fahnenappell. Gefährdeter waren die, die gerade Abitur machten. Sie konnten die Schule zwar beenden, mussten danach aber gleich zur Armee. Immerhin konnten wir Annettes Schulleiter stürzen. Einmal provozierte ich ihn so, dass er einen Wutanfall bekam. Da konnte ich sagen: »So tritt er vor seinen Schülern auf!« Später wurde er abgesetzt. Wir hatten dann auch Angst vor Hausdurchsuchungen und davor, dass die Stasi herausfindet, dass wir mit Franzi[68], die damals in der tschechischen Opposition war, und *Literárni Noviny* in Kontakt standen. Das hat die Stasi aber komischerweise nicht gewusst. Deshalb lagerten wir zum ersten Mal Christas Tagebücher aus.

JS Eigentlich war also eher meine Mutter eine 68erin?

GW Ja, sie hat sich sehr damit identifiziert. Mit Prag. Wir auch. Wir dachten, da geht es noch einmal richtig los, dort könnte sich ein anderer Sozialismus entwickeln.

CW Wir hatten viel mit Franzi zu tun. Sie und ihr Freund Jarda besuchten uns in dem Jahr in Prieros in unserem Bungalow, und wir verbrachten gemeinsam unseren Urlaub. Wir sprachen damals nur über Prag, Prag, Prag und die dortigen Ereignisse. Das *Manifest der 2000 Worte* war erschienen. Alles stand schon sehr auf der Kippe. Wir gingen gemeinsam im Wald spazieren und sagten: »Mensch Franzi, passt bloß auf, seid vorsichtig! Wagt euch nicht zu weit vor!« Franzi meinte: »Was soll passieren? Werden die etwa einmarschieren?« Ich sagte: »Ja, die werden einmarschieren!« Da hat sie nur gelacht.

JS Wie habt ihr vom Einmarsch erfahren?

CW Der Tag des Einmarsches war schrecklich.

GW Christa war in Prieros und ich in Berlin.

CW Gerd rief ganz früh am Morgen an und sagte: »Hör mal Nachrichten. Die Russen sind in Prag!« Und ich habe geheult und geheult. Danach empfanden wir nur noch Desillusionierung.

GW Später am Tag holte ich Christa und Tinka mit dem Auto ab, überall standen Posten auf den Landstraßen. Zum Teil kontrollierte auch die Armee.

CW Es war wie in einem besetzten Land.

JS Wie habt ihr in der Zeit Kontakt zu Franzi gehalten?

CW Wir sprachen über die Ereignisse nicht am Telefon. Als sie und ihr Freund Jarda später meine Bücher übersetzten, redeten wir auch darüber nie am Telefon. Es durfte keiner wissen, dass sie die Übersetzer waren. Sie hatten Berufsverbot. Deshalb konnte man nicht einfach anrufen und darüber sprechen. Nur wenn sie in die DDR kamen, konnten wir reden. Einmal fuhren wir zur Kur nach Ungarn, da kam Franzi in Prag zum Bahnhof, und wir fielen uns weinend in die Arme. Leider habe ich einige Briefe von Franzi damals vernichtet, weil ich Angst hatte, dass die Stasi sie bei uns findet.

JS 1968 bedeutete für euch – anders als im Westen – die Hoffnung auf einen anderen Sozialismus.

CW Ja, sozusagen die letzte Hoffnung.

GW Von da an wurden wir von der Stasi beobachtet, die Abhöraktionen gingen los, und es wurden genaue Planzeichnungen unserer Wohnung angefertigt.

CW Eigentlich begann da die Hoffnungslosigkeit!

JS Das ist doch alles sehr früh – 1965 und 1968 – gewesen. Da wart ihr schon ziemlich »konterrevolutionär«, hattet euch schon ziemlich vom DDR-System verabschiedet.

CW Das denke ich jetzt auch manchmal. Das waren merkwürdige Jahre, und es ging nur, weil unsere Freunde sich genauso verhielten. Eigentlich haben wir damals schon völlig klar gesehen.

JS Eben. Wie habt ihr dann den Rest ausgehalten?

CW Du hast völlig recht, da gab es verschiedene Stadien. Es ging um die Frage, gehen wir weg oder nicht. Aber wir hatten keine Alternative, in Westdeutschland wollten wir nicht leben.

GW Wir sprachen einmal mit Günter Gaus[69], dem Leiter der Ständigen Vertretung der Bundesrepublik in Ostberlin, über eine mögliche Ausreise, der sagte nur: »Oh, die ganze Familie!« Allein wären wir sowieso nicht fortgegangen, Christas Vater lebte ja auch noch.

CW Einmal waren wir in der Ständigen Vertretung, wir waren oft dort eingeladen, und Gaus sagte, er möchte mich mit jemandem bekannt machen. Aus einer Nebentür kam Egon Bahr auf mich zu und sagte: »Ich hoffe, Sie halten durch und bleiben hier!«

GW Wir haben oft überlegt wegzugehen, konnten dann aber auch in den Westen reisen.

JS Ab wann durftet ihr in den Westen?

CW Ab 1964 immer mal, dann wieder nicht. Nach dem 11. Plenum durften wir erst mal nicht rüber.

JS Ihr durftet reisen. Das war ein DDR-Leben, das nur wenige führen konnten.

GW Viele Rentner fuhren in den Westen. Autoren, Theaterleute und Wirtschaftsfachleute auch.

JS Ich durfte auch zweimal in den Westen fahren, weil mein Vater mich in seinen Filmen[70] besetzte. Deshalb war ich 1982 in Spanien und dann noch einmal 1987 in Paris. Vor meinen Mitschülern und Freunden waren mir diese Reisen eher unangenehm. Ich konnte meine Freude nicht teilen, es niemandem richtig erzählen, weil ich merkte, wie außergewöhnlich das war, wie viel Neid es erzeugte. Es sprach sich natürlich trotzdem herum, so dass mich Leute, die ich gar nicht kannte, fragten: »Bist du nicht die, die in Spanien war?«

Warum durftet ihr reisen, was denkt ihr, wollte die DDR-Führung euch loswerden oder euch halten?

CW Uns wollten sie halten. Einmal bestellte mich Erich Honecker zu sich. Das war 1976 nach der Biermann-Sache, danach verließen viele die DDR, unter anderem Sarah Kirsch, mit der wir befreundet waren. Wir waren in Neu-Meteln, es regnete stark. Da fuhr ein Auto vor, eine tolle Kutsche, ein Mann überbrachte mir die Nachricht, ich möchte bitte zu Genosse Honecker kommen. Ich bin dann in den Staatsrat. Mir wurde gesagt, Honecker empfange gerade noch den neuen US-Botschafter. Alle waren ungeheuer höflich. Dann kam Honecker, da war so eine Sitzecke, er setzte sich zu mir und sagte: »Wir können hier ganz offen sprechen, hier wird nicht abgehört.« Ich sprach offen. Unter anderem ging es darum, dass wir drei Leute aus dem Gefängnis holen wollten. Das klappte auch. Ich sagte ihm, wie schlimm ich es fände, dass Sarah Kirsch nicht mehr in der DDR bleiben wolle. Honecker: »Sollte ich sie vielleicht halten?« Ich: »Nein, jeder, der ausreisen will, soll ausreisen. Man muss die Voraussetzungen dafür schaffen, dass sie es nicht müssen.«

JS Aber warum hatte er dich zu sich bestellt?

CW Er wollte wissen, ob wir auch vorhatten wegzugehen. Wir sollten bleiben. »Christa«, sagte er, »ihr müsst bleiben, wir brauchen euch.« Es werden Bedingungen in der DDR geschaffen, dass wir schreiben könnten. Ich sagte, nach dem, was mit Biermann geschehen sei, hätte ich Schwierigkeiten. Honecker meinte, man habe nicht gestatten können, dass

Biermann gegen die DDR auftrete. Ich habe diesen ganzen Tag protokolliert, habe das Protokoll bloß noch nicht wiedergefunden. Das war ein ganz absurder Tag. Danach besuchte ich Anna Seghers, die im Krankenhaus lag. Sie war nicht richtig bei sich, sie sagte: »Hier kommen immer so komische Leute herein. Sie sind so weiß gekleidet, denkst du, das sind Franzosen?« Ich: »Du, Anna, das sind Ärzte.« Sie: »Ja, meinst du?« Die Krankenschwestern gingen mit ihr um wie mit einem ungezogenen kleinen Mädchen. Es war deprimierend.

JS Im Prinzip habt ihr wirklich lange in der DDR ausgeharrt, obwohl ihr euch innerlich schon von ihr distanziert hattet.

CW Ich habe dann *Kassandra* geschrieben, da war ich einigermaßen zufrieden.

GW Nein, vorher kam noch *Kein Ort. Nirgends.*

CW Ja, da mussten wir lernen, ohne Alternative zu leben. Dass es weder hier noch dort gut ist. Deshalb *Kein Ort. Nirgends* – das traf genau meine Befindlichkeit, genauso habe ich empfunden. Denn was sollte ich drüben schreiben? Sollte ich vom Westen aus die Konflikte der DDR behandeln? Nein!

JS Ihr hattet also das Gefühl, wenn ihr im Westen leben würdet, hättet ihr keinen Stoff mehr zum Schreiben?

CW Ich könnte bei jedem einzelnen Buch sagen, aus welcher Konfliktlage heraus es sich mir aufgezwungen hat. Wenn ich drüben gelebt hätte, das merke ich ja jetzt, wäre dieser Konflikt veschwunden gewesen. Das Drübige kannte ich nicht genug.

JS Das klingt, als seien dir heute die Konflikte abhandengekommen. Aber du schreibst doch noch.

CW Was ich in den vergangenen Jahren geschrieben habe, ist eine Auseinandersetzung mit genau diesen Konflikten, natürlich jetzt nach dem Mauerfall. Der Konfliktstoff ist der alte und wird neu bearbeitet. Auch in dem Buch *Stadt der Engel*, das ich in Amerika angefangen habe und von dem ich noch nicht weiß, ob ich es hinkriege. Ich glaube nicht, dass ich danach noch etwas schreiben werde. Vielleicht kleinere Sachen …

GW … ich drängle sie zu einer ganz bestimmten Sache! Christa hat auf eine Weise Hemmungen, die überhaupt nicht nötig sind. Eine sehr schöne Geschichte über Franzi, wie wir sie erlebt haben. Ein Ausflug in die Beskiden … Christa hat einmal angefangen, sie zu schreiben, es ist eine ihrer besten Erzählungen …

CW … wird es …

JS Wie ist das eigentlich, Opa, du liest Omas Sachen immer als Erster?

CW Das kann man wohl sagen!

GW Dann wird diskutiert.

JS *(zu CW)* Und hörst du immer auf alles, was er rät?

CW Ja. Tinka hat einmal erzählt, wie wir, als sie klein war, über ein Manuskript diskutierten. Wir stritten uns. Dann kam Tinka irgendwann und fragte: »Scheidet ihr euch jetzt?«

JS Geht das bis heute so, in der gleichen Intensität?

CW Nein, nicht so, aber intensiv ist es schon. Als wir uns noch nicht lange kannten, zog Gerd jede Seite, die aus meiner Maschine kam, heraus und kritisierte sofort. Das war nicht gut, weil es mich hemmte. Ich legte dann meine Seiten umgedreht neben die Schreibmaschine, und er las sie heimlich. Irgendwann sagte er: »Ich glaube, jetzt läuft's.« Ich bekam natürlich einen Wutanfall, freute mich aber auch darüber.

JS Und hast du Opas Sachen auch immer gleich gelesen?

CW Ja, kritisch war ich schon, aber mehr im Detail.

JS Habt ihr parallel angefangen zu schreiben?

GW Ich habe viel früher einmal an einem Roman gearbeitet, den ich nicht weitergeschrieben habe. Ich habe viel mehr Schreibhemmungen, weil ich viel zu viel kenne.

JS Wann habt ihr begonnen zu schreiben?

GW Beim Studium. Da dachten wir uns Filme aus.

CW Nein, danach. Als ich beim Schriftstellerverband angestellt war, schrieb ich nur Rezensionen oder ideologisch-literarische Artikel darüber, wie man schreiben sollte. *(lacht)*

Das wusste ich natürlich ganz genau. Unser Heiliger war Georg Lukács, der eine ganz bestimmte Art von Literatur und Schreiben propagierte. Sozialistischer Realismus, aber nicht im primitiven Sinne – im Lukács'schen Sinne Realismus. Das leuchtete uns völlig ein.

Draußen dämmert es. Mein Großvater verlässt die Küche, er geht Nachrichten schauen. Meine Großmutter und ich bleiben allein zurück.

JS Wusstest du schon immer, dass du schreiben willst?

CW Na ja, doch. Ich habe immer mal ein Stückchen abgesondert. Dann hat mich erst einmal das Studium verdorben, von all diesen Theorien verlor ich meine Spontanität.

Zunächst wollte ich Lehrerin werden, das änderte sich beim Studium. Dann wollte ich eher Lektorin oder Kritikerin werden. Später war ich bei der *Neuen Deutschen Literatur* Redakteurin. Mein Chef, F. C. Weißkopf[71], war ein sehr scharfer Kritiker. Wenn ich da meine Texte zurückbekam, waren die rot, rot, rot. Da habe ich schreiben und redigieren gelernt und dass man das meiste streichen muss.

JS Du warst zu ausufernd?

CW Nicht genau genug.

JS So ein rot angestrichenes Manuskript macht einen doch fertig!

CW Ich habe den Text dann noch einmal geschrieben. Wie ich gefühlsmäßig darauf reagierte, weiß ich gar nicht mehr. Auf alle Fälle war es eine Schule. Ich leitete ja auch schon junge Autoren an.

JS Es gibt die Anfangs- und die Schlusstypen, was bist du?

CW Mir fällt der Anfang schwer. Bei *Kindheitsmuster* hatte ich 38 Anfänge. Bei jedem Text geht es erst einmal darum, den Ton zu finden. Wenn man den hat, kann man den Stoff bearbeiten.

JS Das geht mir genauso. Aber den letzten Satz weiß ich meist genau.

CW Ich nicht immer. Oft entsteht er im Laufe der Arbeit, ich erahne ihn schon. Bei meinem jetzigen Manuskript *Stadt der Engel* kam der letzte Satz überraschend. Ich weiß noch nicht, ob er bleiben wird. Bei mir ging es auch oft um die Frage, ob ich in der dritten oder ersten Person schreiben sollte. Meistens beginne ich erst mal in der dritten Person, bei *Kassandra* zum Beispiel habe ich die ersten sechzig Seiten in der dritten Person geschrieben und bin dann auf die erste Person zurückgekommen.

JS Im Journalismus benutzt man die erste Person Singular nicht oft.

CW Das verstehe ich nicht und finde es auch nicht richtig.

JS Es ist auch nicht immer gut. Im angelsächsischen Journalismus ist es üblich, dass der Reporter sich einbringt, da wird es manchmal ein bisschen zu viel. Das »Ich« wirkt so stark, dass der Journalist die eigentliche Hauptfigur des

Textes wird. Aber wenn man als Reporter tatsächlich einzigartige Dinge erlebt, finde ich es richtig, dass man sich auch zu erkennen gibt. Bist du denn sehr diszipliniert beim Schreiben?

CW Sehr diszipliniert würde ich nicht sagen. Früher, als die Kinder zur Schule gingen, sah ich zu, dass ich die Zeit nutzte, wenn die Kinder aus dem Haus waren – ich arbeitete so ab neun, bis sie wiederkamen. Es ist bis heute so, dass ein Tag, an dem ich gar nicht am Manuskript arbeite, mir ziemlich verloren vorkommt. Anna Seghers sagte mal zu mir: »Wenn man jeden Tag ein bisschen schreibt, ist am Ende komischerweise ein Buch fertig.« Nicht wie Thomas Mann, der jeden Tag eine Seite schrieb, aber ich versuche, wenigstens ein paar Zeilen täglich zu Papier zu bringen. Es ist wichtig, zwischendrin nicht zu große Pausen zu machen.

JS Sonst kommt man wieder raus.

CW Ich vergesse sonst, was ich schon habe.

JS Gerade an *Stadt der Engel* sitzt du schon einige Jahre. Bevor ich anfange zu schreiben, telefoniere ich erst einmal, räume das Zimmer auf oder den Schreibtisch. Kennst du diese Schreibvermeidungstaktiken?

CW Leider ja. Zum Beispiel lese ich früh viel zu lange Zeitung, krame so herum. Da ist plötzlich dies oder jenes fortzuräumen, und dann finde ich, dass der Schreibtisch diesen oder jenen Reinheitsgrad haben müsste, ehe ich weitermachen kann. Dann sehe ich auf die Uhr, und es ist schon zwölf. Eigentlich wollte ich um zehn anfangen. Das gelingt mir fast nie. Dann bin ich so blöd und nehme Telefongespräche an, auch vormittags. Kurzum, ich lasse mich ablenken. Und ich habe einen Haufen Post da liegen, die ich beantworten muss.

JS Bist du beim Schreiben über die Jahre gelassener geworden?

CW Weiß ich gar nicht. Ich will es einmal so sagen: Wenn dieses Manuskript nichts wird, hängen nicht Leben und Tod davon ab.

JS War das früher anders?

CW Ja. Ein Text sollte vollkommen sein. Er sollte genau das sagen, was ich in dem Moment sagen wollte. Das ist auch eine Frage des Alters und sicher eine der Veränderung der Gesellschaftsordnung. Unbewusst.

JS Hat das etwas damit zu tun, was du vorhin sagtest, dass du dich ausrangiert fühlst?

CW Ich habe das Gefühl, ich werde nicht mehr so gebraucht, wie ich damals gebraucht wurde. Mich sprechen immer noch viele Menschen an, die mir sagen, wie wichtig ich für sie war, und die mich bitten weiterzumachen. Ich habe aber das Gefühl, das muss nicht sein. Was ich sage, wissen die Leute eigentlich.

JS Ist das ein gutes oder ein schlechtes Gefühl?

CW Beides. Ich lebe jetzt nicht mehr so lang. Wenn ich mir nichts Großes oder Gewaltiges mehr vornehme, was ich schreiben will, sondern einfach viel Zeit habe, um zu lesen, würde mich das nicht stören.

JS In der DDR hatten gerade die Schriftsteller eine Überbedeutung als moralische Instanzen. Ihr musstet für alle sprechen, das sagen, was andere nicht sagen konnten oder wollten. Das war auch eine Überforderung.

CW Absolut. Das habe ich erst nach und nach gemerkt. Ich hatte die ganze Zeit dieses Gefühl im Nacken, etwas Bestimmtes machen zu müssen. Verantwortlich zu sein dafür, dass dies und jenes gesagt oder geschrieben wird. Es war ein sehr, sehr intensives Gefühl. Mein Bluthochdruck ist nicht umsonst entstanden.

JS Hattest du auch Erfolgsdruck?

CW Das war nicht so sehr Erfolgsdruck. Natürlich wollte ich, dass das, was ich schreibe, akzeptiert wird. Aber ganz bestimmte Sachen von mir wurden öffentlich nicht akzeptiert. Zum Beispiel *Nachdenken über Christa T.* durfte nur in zwei Zeitungen besprochen werden.

Und Marcel Reich-Ranicki schrieb in der *Zeit*: »Christa T. stirbt an der Leukämie, aber sie leidet an der DDR.«[72] Dieser Satz wurde mir in der DDR vorgeworfen, ich sollte dazu Stellung nehmen. »Ich habe ihn nicht geschrieben«, sagte ich. Bei anderen Büchern gab es Vorgaben, wie sie besprochen werden sollten. Das hat mich schon angegriffen. Auch die Westkritiken waren zum Teil ganz schön blöd. Es war nicht einfach, sich mit diesen Kritiken auseinanderzusetzen. Wichtig waren immer die Leserbriefe, und die kamen meistens in ziemlicher Menge. Da konnte man herauslesen, wie etwas ankam.

JS Ich kann mich erinnern, bei eurer goldenen Hochzeit 2001 haben wir dieses Spiel gespielt: Opa und du sollten Fragen beantworten, wer wie viel über den anderen weiß. Opa sollte sagen, wen du am meisten verabscheust. Er antwortete, er glaube, Frank Schirrmacher und Ulrich Greiner! Die Kritiker. Und du sagtest: Ja!

CW Das weiß ich gar nicht mehr, aber es stimmt.

JS Das waren diejenigen, die dich Anfang der neunziger Jahre im Literaturstreit[73] besonders angegriffen hatten, sie hatten nicht nur dein Buch *Was bleibt*, in dem du die Überwachung durch die Staatssicherheit verarbeitest, kritisiert, sondern sie stellten deine gesamte politische Haltung in Frage.

CW Mit diesen Konflikten setze ich mich in meinem neuen Buch *Stadt der Engel* auseinander. Ich entsinne mich, was mir vorher, glaube ich, nie passiert ist: Ich dachte immer, ich kann nicht verabscheuen, aber denen habe ich alles Üble gewünscht.

JS Was hat dich am meisten getroffen, dass sie zuvor anders über dich geschrieben hatten?

CW Sie hatten zum Teil vorher anders geschrieben. Ich hatte immer das Gefühl, sie schreiben das, weil sie denken, sie müssten das jetzt schreiben. Mir hat mal einer gesagt, dass man mich politisch aus dem Verkehr ziehen wolle. Dass es deshalb diese Kampagne gebe.

JS Wer hat das gesagt?

CW Michel Gaißmayer[74] bei einem Kolloquium des Bertelsmann-Konzerns im Cecilienhof in Potsdam 1990. Das war eines der ersten Ost-West-Kulturtreffen nach dem Mauerfall. Da begann die Kampagne gegen mich. Auch Frank Schirrmacher war dort und griff mich an. Das traf mich völlig unvorbereitet. Ich war fassungslos und verstand nicht, warum ich auf einmal die »DDR-Staatsdichterin« gewesen sein sollte. Diejenige, die Schuld daran gehabt haben sollte, was in der DDR-Kulturpolitik schiefgelaufen war. Ich dachte: Haben sie nie etwas von mir gelesen? Dieses Kolloquium ging über ein ganzes Wochenende. Wir hatten dort im Cecilienhof auch ein Zimmer. Einmal irrte ich durch die Gänge und fand es nicht gleich. Plötzlich hielt mich ein mir unbekannter Mann an, winkte mich in eine Nische und sagte: »Frau Wolf, ich hoffe, Sie nehmen das nicht persönlich, was hier geschieht!« Ich: »Na, wie soll ich es denn sonst nehmen?« Er: »Es geht nicht um Ihre Vergangenheit, in Wirklichkeit geht es um Ihre Aktivitäten in der Gegenwart. Das stört. Man will Sie aus dem Verkehr ziehen, um Ihre andere politische Meinung zu desavouieren.« Danach verschwand er. Erst später erfuhr ich, dass dieser Mann Michel Gaißmayer war. Diese Begegnung war wie eine Vision. Ich hielt eine Porzellandose in der Hand, die hatte dort jeder bekommen. Mit der kam ich ins Zimmer und erzählte Gerd, was gerade passiert war. Die Porzellandose war wie ein Beweisstück dafür, dass es diese Begegnung tatsächlich gegeben hatte.

Meine Großmutter bricht ab. Sie blickt zum Fenster, draußen ist es dunkel. Mein Großvater ist nicht zurückgekehrt, er schaut im Wohnzimmer fern.

CW Wir wollen jetzt mal Fernsehen gucken! Wir gehen mal.

Sie bleibt doch und erzählt weiter.

CW Da begann die Abrechnung mit der DDR. Der damalige Außenminister Klaus Kinkel hatte die Losung ausgegeben, die DDR müsse delegitimiert werden. Die Hauptvertreter der DDR, die noch nicht ihr Ansehen und ihre Glaubwürdigkeit verloren hatten, waren die DDR-Schriftsteller. Die mussten nun delegitimiert werden. Das war Absicht, das habe ich zuerst nicht durchschaut. Das war für uns alles neu. Dieses Kolloquium war sehr gut organisiert, es gab wunderbares Essen. Es war Frühsommer, wir konnten draußen sitzen, und da standen Coca-Cola-Schirmchen. Ich dachte: Aha, jetzt sind wir besetzt.

JS So hast du das empfunden? Warum besetzt?

CW Was hatte Coca-Cola mit der DDR zu tun? Die ganzen West-Marken überschwemmten alles.

JS So hätte ich damals nie gedacht. Ich dachte: Super, endlich gibt's Coca-Cola!

CW Nun habe ich nie gern Coca-Cola getrunken.

JS Vielleicht war der Veröffentlichungszeitpunkt von *Was bleibt* nicht glücklich gewählt. Und du hattest die DDR tatsächlich oft verteidigt, aber auch oft heftig kritisiert. Was denkst du, warum wurdest du besonders angegriffen?

CW Zeitweilig traf es auch Heiner Müller. Ich dachte,

es gab so viele richtige Arschlöcher, die man wirklich hätte kritisieren können – wieso gerade ich?

JS Ich habe damals nicht verstanden, warum du dich nicht stärker gegen die Angriffe gewehrt und auch einmal darauf hingewiesen hast, für wie viele Leute Opa und du euch eingesetzt habt und wie sehr unsere Familie über die Jahrzehnte bespitzelt worden war.

CW Das hätte ich gar nicht gekonnt. Man kann doch nicht sagen: Ich bin nicht so oder so. Ich dachte, die sollen meine Texte lesen, aber darum ging es natürlich gar nicht. Die Kritiker warfen mir vor, mich mit der Beschreibung der Stasiüberwachung in *Was bleibt* als Märtyrerin darstellen zu wollen. Wenn man das Buch richtig liest, ist das ein sehr selbstkritischer Text. Später haben das auch einige erkannt.

JS In den Medien muss es oft sofort eine laute und harte Gegenreaktion geben, um die anderen zu übertönen.

CW Dazu waren wir damals nicht in der Lage.

JS Das wollte ich dich schon lange einmal fragen, wie war das mit deiner Stasigeschichte? Du wurdest für kurze Zeit ganz früh von 1959 bis 1962 als inoffizielle Mitarbeiterin geführt. Du hast erzählt, dass du das völlig verdrängt hattest. Das haben damals leider viele gesagt.

CW Ich wusste es überhaupt nicht mehr. Es war ja auch eigentlich nichts gewesen. Ich hatte nichts unterschrieben. Die Staatssicherheit hatte mich als IM geführt, was ich nicht wusste. Später entsann ich mich, dass ich, als ich

Redakteurin bei der *Neuen deutschen Literatur* war, mich zweimal mit solchen Typen getroffen hatte, aber ich hatte diese Treffen überhaupt nicht als IM-Treffen eingeordnet. Die Bezeichnung IM kannte man früher noch nicht. Als ich 1992 von dieser Akte erfuhr, war ich wie vor den Kopf gestoßen. Darin stand eben, dass ich auch einmal in einer konspirativen Wohnung gewesen sein muss. Daran kann ich mich nun kein bisschen erinnern. Ich hatte eine einzige Art Beurteilung über jemanden geschrieben, die war absolut positiv ausgefallen. Die Staatssicherheit sagte ziemlich rasch, die Wolf ist irgendwie nicht eifrig dabei, und zum Schluss schrieben sie: Kein Interesse mehr. Na gut. Anfang der neunziger Jahre ging es nicht darum, was einer tatsächlich gemacht hatte. Die Bezeichnung IM allein war schon die Verurteilung, sie ist es zum Teil bis heute noch.

JS Wie hast du von dieser IM-Akte erfahren, hat die Gauck-Behörde dir das mitgeteilt?

CW Nein. Ich war 1992 selbst bei der Gauck-Behörde in der Normannenstraße gewesen, um unsere Opferakten einzusehen. Zuerst war ich allein dort, dann kam Gerd manchmal mit. Ich saß vielleicht schon eine Woche dort, wir hatten eine Menge Akten. Die Akten lagen in einer grünen Seemannskiste, die Bearbeiter brachten sie immer häufchenweise, so viel, wie man an einem Tag schaffen konnte. Es gab eine Sachbearbeiterin, die unsere Akten zuvor gelesen hatte und sie besser kannte als wir. Als ich alles gelesen hatte und das letzte Mal dort im Lesesaal saß, sagte diese Frau, eine sehr nette übrigens: »Na ja, da ist noch eine Akte, aber die darf ich Ihnen nicht zeigen.« Ich: »Wieso nicht?« Da kam sie mit so einem dünnen grünen

Faszikel und schlug es auf. Da stand plötzlich dieses IM, mir standen die Haare zu Berge. Buchstäblich. Ich hatte das noch nie zuvor erlebt. Sie blätterte vor mir ein bisschen darin herum, um mir einen Überblick zu geben, worum es ging. Das war, als ob mir jemand mit der Holzlatte über den Kopf geschlagen hätte.

JS Konntest du dich dort daran erinnern?

CW Überhaupt nicht. Die Mitarbeiterin sagte: »Regen Sie sich doch nicht auf! Bei Ihnen gibt es so viele Opferakten und dieses kleine Aktenstück – das wird Sie überhaupt nicht betreffen.« Ja, denkste!

Dann wurde die IM-Akte öffentlich. Journalisten hatten einen Hinweis gekriegt, konnten Akteneinsicht beantragen und bekamen diese ganz schnell. Daraufhin rief mich Joachim Gauck in Santa Monica an, wo ich Scholar am Getty Center[75] war. Er fürchtete, dass in meinem Fall etwas schieflief, und sagte, ich solle mir keine Sorgen machen, er werde mich immer verteidigen. Es gäbe 42 Bände Opferakten, und dagegen stünde diese kleine andere Akte.

JS Wärst du freiwillig an die Öffentlichkeit gegangen?

CW Bin ich ja. Ein Auslöser war, als herauskam, dass Heiner Müller Kontakt zur Staatssicherheit hatte. Ihn wollte ich nicht im Regen stehen lassen. Seine Geschichte kannte ich schon vorher. Vorübergehend war er Präsident der Akademie der Künste (Ost) gewesen, und da gab es ein Gremium, das über die Zukunft der Akademie mitverhandelte. Darin war ich Mitglied. Zu Beginn einer der Sitzungen berichtete einer der Anwesenden über den Artikel von Wolf Biermann im *Spiegel*, in dem Biermann den Schriftsteller Sascha Anderson als »Sascha Arschloch« bezeichnete und als IM enttarnte[76]. Am Ende der Sitzung fragte mich Heiner, ob ich noch einen Moment Zeit hätte. Wir gingen gemeinsam in sein Präsidentenzimmer, dort saß er mit einem Glas Whisky. Heiner erzählte mir, er habe direkte Verbindung zu einem Stasimitarbeiter gesucht, um jemanden zu retten. Dieser Mitarbeiter sei ein vernünftiger Mann gewesen, mit dem man habe reden können. Heiner war so ein Typ, er dachte, er schaffe das schon, er sei in dem Kräftespiel der Überlegene. Er dachte, diese Begebenheit stünde natürlich in den Akten. Später stellte sich heraus, bei ihm gab es nur eine Karteikarte. Was sollte ich nun machen? Ich riet ihm erst mal dazu, nichts zu sagen in seiner Funktion und zu diesem Zeitpunkt. Ich wusste, ich musste nun auch den Mund halten, was ich auch tat. Aber als es dann im Januar 1993 herauskam, dachte ich, jetzt musst auch du reden. Ein paar Tage später schrieb ich eine Erklärung und faxte sie an die *Berliner Zeitung*[77].

JS Ich erinnere mich, ich hörte damals im Radio: Christa Wolf war bei der Stasi. Ich bin fast vom Stuhl gefallen. Ich war überzeugt, das kann nur ein Irrtum sein.

CW Das kann ich mir vorstellen. Ist doch klar, dass ihr und vor allem Tinka und Annette fragten: Warum hast du uns das nicht gesagt? Ich konnte es nicht. Ich konnte darüber nicht sprechen, auch nicht mit meinen Töchtern. Vielleicht gerade nicht mit meinen Töchtern. Ich musste erst selbst damit umgehen lernen. Die Auseinandersetzung damit ist Teil des neuen Manuskripts *Stadt der Engel*. Darum ist es auch so schwierig. Von Santa Monica rief ich den Psychoanalytiker Paul Parin[78] in Zürich an und erzählte ihm die ganze Geschichte. Ich sagte zu ihm: »Das glaubt mir doch kein Mensch, dass ich das vergessen habe!« Anscheinend fand ich das so schlimm, dass ich alles verdrängt hatte. Worauf Parin erwiderte: »Das kann genau umgekehrt sein, dass es für Sie so unwesentlich war, dass Sie es nicht behalten haben.« Mag sein. Auf alle Fälle redete ich dann mit anderen darüber, weil ich es mir selbst nicht erklären konnte.

JS Kannst du dich heute daran erinnern oder noch immer nicht?

CW Außer an diese beiden Fälle entsinne ich mich an nichts. Dann fiel mir ein, ach ja, Mensch, einmal haben wir uns am Thälmannpark in Berlin an der S-Bahn-Station getroffen. Was wir da besprochen hatten, wusste ich aber nicht mehr. Zweimal gab es Treffpunkte, daran kann ich mich aber nur ganz verschwommen erinnern. Dann kam mir wieder in den Sinn, und das geht auch aus den Akten[79] hervor, dass ich diese Treffen möglichst versäumte, krank wurde oder abgesagt habe. Das alles war Ende der fünfziger Jahre, aber das zählte plötzlich nicht mehr. Am meisten hat mich getroffen, dass alles, was man danach gemacht hat, überhaupt keine Rolle mehr spielte. Weil es darum gar nicht ging. Michel Gaißmayer hatte im Cecilienhof zu mir gesagt: »Frau Wolf, Sie kriegen in diesem Staat kein Bein mehr auf die Erde!«

JS Womit er ja unrecht hatte!

CW Ja. Er meinte, politisch bekäme ich kein Bein mehr auf die Erde, aber ich hätte Fans, ich solle schreiben.

JS Wolltest du dich denn politisch weiter einmischen?

CW Am Anfang dachten wir, es könnte einen langsamen Prozess der Annäherung der beiden deutschen Staaten geben. Und dann war ich Mitglied der Untersuchungskommission zu den Ereignissen am 7. und 8. Oktober 1989 in Ostberlin.[80] Das war die Nacht, in der auch deine Mutter Annette und Honza vor der Gethsemanekirche in Prenzlauer Berg verhaftet wurden. Die meisten in der Kommission kannte ich nicht. Da mussten sich zwanzig bis dreißig Menschen zu einer wirklichen Arbeitskommission zusammenfinden. Wir alle wollten herausfinden, wer Schuld an den Ereignissen und an den Übergriffen auf die Demonstranten hatte.

JS Ich muss zugeben, dass ich in jener Nacht mit einem Freund tanzen war. Ich war also nicht revolutionär demonstrieren. Auf dem Weg nach Hause merkte ich, dass eine seltsam angespannte Stimmung auf der Straße herrschte, überall war Polizei. Der Alexanderplatz war zum Teil abgesperrt. Mitten in der Nacht kam ich nach Hause und ging ins Bett. Am nächsten Morgen weckte mich Honzas Mutter, Franzi, die gerade aus Prag zu Besuch bei uns war, und sagte, dass Annette und Honza nicht da seien. Sie erzählte, dass sie am Vorabend noch zur Gethsemanekirche aufgebrochen seien. Dann kam unser Nachbar Lothar Trolle[81] vorbei und berichtete, dass die beiden verhaftet worden seien[82]. Er war gemeinsam mit ihnen dort gewesen und hatte entkommen können. Franzi versuchte, Trolle aus der Wohnung zu drängen. Sie dachte, er sei ein Spitzel. Ich stand mit meinem kleinen Bruder Benni im Flur, und wir riefen: »Aber Omi, das ist doch kein Spitzel, das ist der Trolle!« Das war eine surreale Situation. Richtig begriffen, dass meine Eltern verhaftet worden waren, hatte ich nicht. Ich glaube, Franzi rief dann bei euch an …

CW … und wir fuhren gleich los, um die beiden zu suchen. Zuerst waren wir im Polizeipräsidium in der Keibelstraße, dort war auch eine Untersuchungshaftanstalt. Dann fuhren wir weiter zum Generalstaatsanwalt. Niemand sagte oder wusste etwas. Also telefonierten wir mit dem Anwalt Gregor Gysi, der damals auch Oppositionelle verteidigte. Er sagte uns, er werde sehen, was er tun könne. Zum Glück kam Annette am 8. Oktober abends wieder frei. Sie war richtig schockiert, hatte die ganze Nacht stehen müssen. Die Polizisten hatten die Inhaftierten mit Hunden geängstigt und einige geschlagen. Beim Verhör hatte Annette erzählt, dass sie unsere Tochter ist. Da sagte der Beamte nur: »Ach du Scheiße!« Honza war, weil er Ausländer ist, schon früher entlassen worden. Er hatte die Nacht gemeinsam mit dem Sohn des Philosophen Herbert Marcuse in einer Zelle in Rummelsburg verbracht.

Wir sitzen noch immer am Tisch, in uns zusammengesunken, frösteln ein wenig. Der Kaffee ist schon lange ausgetrunken. Mein Großvater ist inzwischen schlafen gegangen.

JS Es ist ganz schön kalt hier, soll ich dir mal eine Decke holen?

CW … diese Untersuchungskommission, wir haben uns Jahre später noch getroffen.

JS Das war die Nachwendezeit, in der alle mit sich und ihrem neuen Leben beschäftigt waren und dem, was man nun machen kann und will in diesem neuen Land. Ich habe den Eindruck, dass ich damals nicht viel oder nur oberflächlich mitbekommen habe, was bei euch los war!

CW Du musstest dich auch auf völlig andere Dinge konzentrieren.

JS Ich bin jetzt 35. Ich führe ein völlig anderes Leben, als du es mit 35 geführt hast. Erscheint es dir vollkommen fremd oder siehst du auch Parallelen?

CW 1964 war ich 35. Da war ich gerade Kandidatin des ZK geworden, fing an, in die ganzen Sachen verwickelt zu werden. Was hatte ich geschrieben? Eigentlich erst den *Geteilten Himmel* und *Moskauer Novelle*. Wahrscheinlich war ich viel naiver, als du es heute bist.

JS Du warst vor allem politisch viel involvierter!

CW Das auf alle Fälle. In diesem Politischen war ich verhältnismäßig naiv und voller Hoffnung. Vieles wusste man damals auch noch nicht. Alles, was nach 1956, nach dem XX. Parteitag der KPdSU, kam, das war der arge Weg der Erkenntnis. Stück für Stück. Trotzdem blieben Gerd und ich politisch involviert. Man konnte gar nicht anders in dieser Generation nach diesem Krieg, nach diesem Nationalsozialismus. Wir fanden, es ging gar nicht anders, als politisch aktiv zu sein.

JS Findet ihr meine Generation unpolitisch?

CW Von dir habe ich es eine Zeitlang gedacht. Das denke ich jetzt nicht mehr. Du bist vielleicht nicht im engeren Sinne politisch aktiv, aber gesellschaftlich engagiert und interessiert schon. Bei Frank weiß ich es nicht.

JS Es ist sicher nicht mit euch vergleichbar, vor allem sind wir nicht parteipolitisch gebunden. Ich kann mir überhaupt nicht vorstellen, mich mit einer Partei zu identifizieren. Das kann vielleicht Helenes Generation, die zehn Jahre jünger ist als wir, schon wieder eher. Ein Thema, das mich gerade sehr umtreibt, ist die Folterdebatte: Wie weit kann man im Krieg gegen den Terror gehen? Meiner Meinung nach ist Folter eine Grenze, die einfach nicht überschritten werden darf. Besonders wenn man an Abu Ghraib oder Guantánamo denkt. Darüber möchte ich so schreiben, dass man merkt, dass ich dagegen bin. Bei anderen Themen bemühe ich mich eher um Ausgewogenheit. Ich bin keine Ideologin, alles Missionarische ist mir fremd. Weil ich die Wirklichkeit selten als so eindeutig erlebe. Es ist eben nicht mehr schwarz und weiß, bei fast allem gibt es ein Für und Wider. Und ich finde gerade die Zwischentöne, das Graue viel spannender.

CW Aber was immer man auch schreibt, und wenn es nur ein Interview mit einer Schauspielerin ist, es wird immer herauskommen, was man denkt.

JS Ja, man ist nie vollkommen objektiv. Schon gar nicht in Reportagen oder Porträts, die ja die subjektivsten Darstellungsformen im Journalismus sind. Ich finde, man merkt meinen Texten deutlich an, was ich denke. Die Zwischentöne eben. Es gibt aber immer wieder Leute, die sagen, ich solle mehr deuten und stärker betonen, was ich persönlich von einer Sache oder einer Person halte.

CW Ich glaube, Gerd hat das manchmal früher gesagt. Heute nicht mehr, dein Interview neulich fand er sehr gut oder deine Geschichte über die Anzeige dieses deutschen Anwalts gegen Donald Rumsfeld wegen Folter[83].

JS Nicht alle Themen sind so eindeutig. Ich weiß nicht immer sofort: Ist das nun gut oder schlecht.

CW Du, Jana, du wirst es vielleicht nicht glauben, aber das verstehe ich vollkommen. Wenn ich eine innere Diskussion führe, was ich über ein bestimmtes Thema denken soll, dann müsste die Antwort heute fast immer lauten: Ich weiß es nicht! Übrigens ist das auch der letzte Satz meines neuen Buches.

JS Diesen Satz könnte man als Leitspruch über das gesamte jetzige Leben stellen. Die komplette Überforderung mit allem ist so immanent.

CW Genau, und wenn man denkt, sich einer Sache sicher zu sein, gibt es eine Enthüllung, dass es doch völlig anders gewesen ist. Das führt auch dazu, dass ich mich nicht verpflichtet fühle, mich dauernd öffentlich zu äußern wie zum Beispiel Günter Grass.

JS Bis zu einem gewissen Punkt sind alle Autoren Egomanen.

CW Da ist schon etwas dran. Wenn man es überhaupt wagt, etwas in die Welt hinauszulassen, muss man schon einen Triller haben.

JS Was liest du eigentlich gerade?

CW Gerade habe ich das Buch eines Literaturwissenschaftlers, Michael Maar, gelesen, der die Textmotive von Vladimir Nabokov durchleuchtet[84]. Dazwischen kam ein Roman von William Trevor, dem alten irischen Autor. Und jetzt werde ich das Buch von der Irina Liebmann[85] über ihren Vater Rudolf Herrnstadt lesen.

JS Das habe ich vor kurzem gelesen und fand es richtig gut. Als Kind war ich mit Liebmanns Tochter befreundet. Gerade lese ich das Buch des amerikanischen Reporters Lawrence Wright über die Vorgeschichte des 11. September, darin werden parallel die Lebensläufe von Osama Bin Laden, seinem Vertrauten Aiman al-Sawahiri, dem saudischen Geheimdienstchef und dem obersten FBI-Terroristenjäger erzählt[86]. Interessant finde ich vor allem, wie brutal sich die Islamisten untereinander bekämpfen und sich gegenseitig als »Ungläubige« anfeinden.

CW Ich notiere immer in meinem Tagebuch unten in der letzten Zeile, was ich am Tag gelesen habe. Sonst vergesse ich das. Wenn ich mich darüber unterhalten will, was ich als Vorletztes gelesen habe, müsste ich es eigentlich noch einmal lesen. Ich vergesse so viel. Das ist schlimm.

JS Die fünf wichtigsten Bücher deines Lebens – könntest du die nennen?

CW Das ist ganz schwer, könnte ich gar nicht sagen. Wüsstest du welche?

In diesem Augenblick tritt meine Tante Tinka in die Küche. Sie ist von meinem Aufnahmegerät begeistert. Es funktioniert nicht mehr mit Kassetten wie noch jenes, das ich bei den ersten Gesprächen mit meinen Großeltern benutzte. Das neue ist ein Digitalgerät – klein und leicht.

Tinka Das wird Jana morgen ins Netz stellen!

JS *(zu CW)* Meinst du, ihr werdet jemals noch das Internet nutzen?

CW Ich glaube nicht!

Tinka Wir raten ihnen heftig davon ab. Stell dir einmal vor, sie würden das machen. Sie würden überschüttet werden.

JS Aber für Recherchen wäre das doch gut!

CW Wofür soll ich denn recherchieren?

JS Na, für Manuskripte?

CW Da rufe ich dich oder Tinka an.

Es geht nun um die Planungen für das große Ostermahl am nächsten Tag. Besuch wird erwartet.

Tinka *(zu CW)* Wie wollt ihr das morgen haben?

CW Na, ihr ladet uns ein!

Tinka Ach so, und wenn jeder einfach ein paar Schnittchen mitbringen würde, könnte euch das gefallen?

CW Vater hat Champagner gekauft.

Tinka Ist ja süß!

Tinka *(zu JS)* Jetzt schalt doch mal das Ding aus!

Woserin, 25. März 2008

Drei Tage später. Das Ostermahl ist vorüber. Draußen ist es noch immer kühl, Mecklenburg versinkt im Regen. Meine Großeltern und ich sitzen bei einem großen Frühstück in der Küche. Wir sind etwas müde, haben bis in die Nacht einen Krimi geschaut. Als wir beginnen zu reden, geht es zunächst einmal mehr um die Staatssicherheit und darum, wie meine Großmutter ihre Tagebücher versteckte.

JS Wieso hat die Staatssicherheit nie eure Wohnung durchsucht?

CW Sie waren einmal in unserer Wohnung in der Friedrichstraße. Wir hatten damals eine Putzfrau, die einen Putzfimmel hatte. Jedes Stäubchen war ihr zu viel. Einmal waren wir unterwegs, und sie machte die Wohnung sauber. Sie muss viele Thriller gesehen haben, denn als sie die Wohnung verließ, streute sie Mehl auf unseren Abtreter. Als sie am nächsten Tag wiederkam, waren große Mehltapsen im Flur. Außerdem war der Spiegel im Bad heruntergefallen.

GW Das war nach der Biermann-Sache 1976. Damals hatten wir dummerweise einen Privatmann damit beauftragt, unsere Elektrik neu zu installieren. Der verschwand plötzlich, ohne eine Rechnung zu stellen. Der kann etwas eingebaut haben.

CW Als wir 1988 von der Friedrichstraße nach Pankow zogen, war plötzlich unser Telefon tot. Ich benachrichtigte die Störungsstelle, es kamen drei Monteure, die alles nachkontrollierten und rückwärts wieder hinausgingen. Der Chef der Mannschaft sagte: »Ich will Ihnen mal was sagen, an uns liegt es nicht!« Da ging ich an die Ecke zur Telefonzelle und rief im ZK bei Ursula Ragwitz an, der Leiterin der Kulturabteilung. Ich sagte: »Hör mal zu, dass ihr mich beobachtet, dass ihr unsere Post aufmacht, das weiß ich. Aber dass ihr uns jetzt noch das Telefon abstellt, wenn wir gerade umziehen, das ist eine Schweinerei. Wenn das bis morgen nicht wieder funktioniert, kannst du das in der Westpresse lesen.« Sie sagte: »Ich danke dir für dein Vertrauen.« Nach ein paar Stunden ging das Telefon wieder. Mittags rief der Chef der Störungsstelle an: »Frau Wolf, also wissen Sie. Bei Ihnen war das so kompliziert, weil Ihr Telefon mit der Sirene auf Ihrem Dach verbunden ist. Und die Sirene war auch kaputt.« Am Vortag hatte sie aber noch funktioniert. Er meinte außerdem, wenn wieder einmal etwas sei, solle ich mich direkt an ihn wenden. Das war ein Lustspiel.

GW Bei uns im Keller in der Friedrichstraße hing ein Kästchen, in das nur unsere Telefonleitung hineinführte. Wir überlegten einmal, es zu öffnen, ließen es aber doch sein.

CW Ab und zu schauten Monteure vorbei, die ganz neue Arbeitsanzüge trugen und nach dem Kellerschlüssel fragten. Ich fragte, wozu sie den denn bräuchten. Sie müssten die Telefone kontrollieren. Ich fragte, ob denn eins kaputt sei. Dann gab ich ihnen den Schlüssel nicht mehr. Unten in unserem Haus war eine kleine Parfümerie. Am nächsten

Tag rief mich die Verkäuferin zu sich und erzählte, dass wieder einer da gewesen sei, der den Kellerschlüssel haben wollte. Sie habe gesagt: »Was haben Sie denn da unten vor? Ist das Band bei den Wolfs schon wieder voll?«

JS Habt ihr nicht gerade die ganzen Protokolle eurer Telefongespräche von der Gauck-Behörde bekommen, die geschreddert worden waren?

CW Das waren keine ganzen Mitschnitte, das waren Zusammenfassungen, Wochenberichte, wer angerufen hatte.

GW Im *Spiegel* stand jetzt eine Geschichte über eine Frau bei der Gauck-Behörde, die unsere geschredderten Mitschnitte wieder zusammengeklebt hat. Die sagte, nun müsse sie mal die Bücher von Christa Wolf lesen.

JS Wenn man so will, liest sich das heute wie eine Art Tagebuch.

CW Aber wirklich! Die Karteikarten der Stasi waren wie eine richtige Chronik.

JS Ihr hattet Omas Tagebücher ausgelagert. Habt ihr sie nach dem Mauerfall wieder abgeholt?

GW Zuerst hatten wir sie zu unserer Freundin, der Fotografin Helga Paris[87], geschafft. In jener Zeit folgte uns immer ein Auto. Also kaufte ich Gemüse ein, damit die Stasi sah, dass aus der Tasche Gemüse herausschaute. Die Tagebücher vergrub ich darunter. Später holten wir sie wieder bei ihr ab und fuhren sie zu Christas Bruder Horst. Dort fotografierten wir die Tagebücher, dann brachten wir die

Filme nach Westberlin, kauften eine Stahlkassette, legten sie dort hinein und gaben sie unserer Freundin Marianne Frisch[88]. Sie wusste nicht, was sie da aufbewahrte.

CW Nach dem Mauerfall gab Marianne uns die Kassetten zurück und sagte: »Mensch, jetzt könnt ihr mir doch sagen, was da drin war.« Aber die skurrilste Geschichte erlebten wir mit dem Autor Stefan Schütz[89]: Bevor er mit seiner Frau in die Bundesrepublik übersiedelte, besuchte er uns noch einmal, um sich zu verabschieden. Wir sind, blöd, wie wir waren, in die Küche gegangen, weil wir dachten, dort werden wir nicht abgehört. Schütz sagte, er traue sich nicht, sein letztes Manuskript mit in den Westen zu nehmen. Er hatte Angst, es würde ihm an der Grenze abgenommen werden, und fragte uns, ob wir es aufheben könnten. Natürlich! Ich packte es in die Ecke eines Schrankes. Schütz sagte, wenn eines Tages jemand vorbeikäme und das Codewort »Vater« sage, dann dürften wir es demjenigen geben. Ein paar Wochen später klingelte es bei uns, vor der Tür stand Günter de Bruyn und sagte: »Vater.« Wir haben so gelacht.

GW In der Wendezeit trafen wir uns einmal mit dem SPD-Politiker Hans-Jochen Vogel bei der *Zeit*-Journalistin Marlies Menge. Er wollte wissen, was los sei im Osten und was für Leute diese Bürgerrechtler seien, die nun die DDR-SPD gegründet hatten. Da war die Mauer gerade gefallen.

CW Die Spitzen in Ost und West hatten wenig Informationen darüber, was vor sich ging, sie hatten sich nicht mit der Bürgerbewegung befasst. Eines Tages nach dem Mauerfall kam der Gesandte der sowjetischen Botschaft in

Ostberlin, Igor Maxymitschew, zu uns. Er saß in unserem Wintergarten und wollte von uns wissen, ob die Bürgerrechtler vorhätten, die russischen Kasernen zu stürmen …

JS *(lacht)* … und du hast gesagt, ja, gleich morgen früh!

CW Ich dachte, jetzt ist etwas schiefgelaufen. Ich antwortete: »Auf gar keinen Fall. Sie werden doch nicht etwa schießen?« Er sagte, das wollten sie nicht. Aber sie wüssten nicht, was die Bürgerbewegung plane.

GW Sie hatten heillose Angst davor, dass irgendwo ein Stein fliegt und eine Pistole losgeht.

JS Wieso kamen die zu euch?

CW Weil sie keine Ahnung hatten. Maxymitschew fragte, ob die Bürgerrechtler die Konterrevolution wollten. Wir erzählten ihm, was wir wussten, und sagten, er solle sich nicht so aufregen.

Vor dem Mauerfall waren wir jahrelang, seit der Biermann-Sache, nicht mehr in der sowjetischen Botschaft eingeladen gewesen. Wir waren Persona non grata. Eines Tages, zur Zeit der Wende, wurden wir zu Herrn Botschafter Kotschemassow eingeladen. Gerd und ich kamen dorthin, wurden durch große Säle an einen Tisch geführt, der beladen war mit allem, was das große, weite Russland zu bieten hatte. An dem Tisch saßen nur wir beide, der Botschafter, seine Frau und ein ganz junger Dolmetscher. Auch Kotschemassow wollte wissen, was diese Bürgerrechtler vorhätten. Es ging auch darum, ob die DDR nun Mitglied der NATO werde. Der Botschafter sagte, das käme nicht in Frage, die sowjetische Führung würde das niemals zulassen.

Er fragte uns, wie sich die Botschaft nun verhalten solle. Wir antworteten, sie sollten Diskussionen veranstalten, Probleme und Konflikte müssten ausgetragen werden. Der Botschafter war ein Gegner Gorbatschows.

Nach zwei Stunden waren wir vollgefressen und hatten uns sehr ereifert. Dann begleitete uns der Dolmetscher hinaus. Auf dem kurzen Weg im Hof sagte er zu uns …

GW … den alten Opa da oben könnten wir vergessen!

CW Und Gorbatschow auch! Dem sollten sie ein Denkmal bauen, sagte er, der sei erledigt. Jetzt gehe es nur noch darum, ob das Ganze mit viel oder wenig Blut ablaufe. Das erzählte er alles auf dem kurzen Hofweg in abhörsicherer Distanz zum nächsten Posten. Und er sagte, so offen wie wir hätte an diesem Ort überhaupt noch niemand gesprochen. Das war ein Erlebnis der dritten Art.

GW Der Dolmetscher war ein Putin-Typ. Er sah ihm sogar ähnlich.

JS Vielleicht war er es ja.

GW Es ist ein großes Wunder, dass bei der Protest-Demonstration auf dem Alexanderplatz am 4. November 1989 nicht eine Scheibe zersprungen ist.

CW Markus Wolf[90], der frühere Chef der Stasi-Auslandsspionage, rief mich vor dem 4. November an und sagte, er sei als Redner zur Demonstration eingeladen worden. Er fragte mich, ob ich hingehe. Dann würde er auch kommen. Wolf sagte deutlich, dass er ziemliche Angst davor habe, aber dass er sich der Bevölkerung stellen wolle. Und dass er alles, was in seiner Macht stehe, dafür tun werde, dass es keinerlei Gewalt geben werde. Da war er aber schon Jahre nicht mehr im Ministerium für Staatssicherheit.

GW Er hatte eine Riesenangst davor, dass eine Pistole losgeht. Diese Funktionäre hatten vor ihrer eigenen Macht eine Riesenangst.

CW In jener Zeit riefen andauernd Menschen bei uns an. Einmal hatte ich einen Mann am Telefon, der meinte, er sei ein Nachbar von uns aus der Pankower Crusemarkstraße. Seine Frau arbeite in einer Botschaft und habe erfahren, dass in Schönefeld ein Flugzeug stehe, das gerade mit Akten beladen werde, die nach Rumänien ausgeflogen werden sollten. Er fragte mich, ob ich nicht Beziehungen zu Markus Wolf hätte, um das zu verhindern. Ich hatte tatsächlich eine Nummer von ihm, er hatte sie mir bei dem vorherigen Anruf gegeben. Ich rief also dort an. Seine Sekretärin war dran. Sie sagte, Markus Wolf sitze gerade in einer Parteiversammlung. Sie fragte mich, woher sie wissen solle, ob ich wirklich Christa Wolf sei. Ich sagte: »Das müssen Sie mir eben glauben. Eine Garantie kann ich Ihnen nicht geben!« Ich erzählte ihr die Geschichte. Nach zwei Stunden rief sie zurück, Markus Wolf habe sich informiert, es gebe kein Flugzeug, es würden keine Akten ausgeflogen.

JS Hattet ihr zu DDR-Zeiten mit Markus Wolf zu tun?

CW Nein. Wir haben ihn zum ersten Mal 1987 bei der Beerdigung seines Bruders Konrad Wolf gesehen. Dort trat er das erste Mal öffentlich auf. Doch im Mai 1989 hatte ich noch einmal mit ihm zu tun. Als er sein Buch *Die Troika* schrieb, rief er mich an und fragte, ob ich bereit wäre, zu ihm zu kommen und ihm das, was ich über seinen Bruder Konny Wolf wüsste, zu erzählen. Ich ging also zu ihm. Er wohnte im Nikolaiviertel. Seine Frau empfing mich, und da war noch ein Genosse, der Wolf fuhr und für ihn einkaufte. Ich sagte Markus Wolf, dass ich Konny als eine tragische Figur einschätze. Wolf sagte, so sehe er ihn auch. Die beiden Brüder hatten in sehr engem Kontakt zueinander gestanden.

Als es 1976 wirklich lästig wurde, wie sehr wir von der Staatssicherheit beobachtet wurden, deren Autos immer vor unserer Tür standen, da hatte uns Konny Wolf einmal eingeladen, um uns seinen neuesten Film *Mama, ich lebe* zu zeigen. Ich verließ mit ihm als Letzte die Vorführung und sagte: »Die gehen jetzt so auf uns los, dass ich nicht weiß, wo das endet, ob wir hier bleiben können und wollen.« Es war klar, Konny würde es Markus erzählen. Später sagte Markus Wolf, er habe sich darum gekümmert. Dann hörte es auf.

GW Zuvor war die Stasi immer hinter uns hergefahren. Ihre Wagen hatten auf dem leeren Parkplatz gegenüber von unserem Haus in der Friedrichstraße gestanden. Die wollten, dass man sie bemerkt.

CW Am Anfang hatte ich das gar nicht so ernst genommen und noch gesagt: »Ich gehe rüber und bringe denen eine Kanne Kaffee.« Später hatte ich den Nerv dazu nicht mehr. Tinka hat sehr darunter gelitten. Sie wohnte noch bei uns, studierte und bekam so eine blöde Lungenentzündung. Das war kein Zufall.

JS Im Nachhinein ist es kaum noch vorstellbar, was das

für ein Leben war. Die Überwachung war fast alltäglich geworden. Ich kann mich an eine richtige Verfolgungsfahrt erinnern. Wir hatten die Poppes[91] am Kollwitzplatz besucht, die damals in der Opposition sehr aktiv waren. Das muss Mitte der achtziger Jahre gewesen sein. Als wir wieder nach Hause fuhren, folgte uns ein Auto. Honza fuhr dann Wendemanöver, aber der Wagen folgte uns trotzdem. Am Ende schafften wir es, sie abzuhängen. Ich fand das aufregend und ein wenig gruselig. Oder bei meinem Vater: Einmal kamen wir aus dem Urlaub zurück, und die Möbel waren mit Handabdrücken übersät. Es war klar, dass jemand in der Wohnung gewesen war.

CW Als ich im Mai 1989 bei Markus Wolf war, fragte ich ihn auch noch, ob er nicht sehe, was in der DDR los sei. Es ging das Gerücht um, Wolf habe direkten Kontakt zu Gorbatschow. Ich fragte ihn, ob er dem nicht vor Augen führen könne, dass die DDR am Zusammenbrechen sei. So direkt sei der Kontakt nicht, sagte er, aber er kenne Leute, die ihn kennen. Wolf sagte, er denke, dass die DDR-Kombinatsleiter, die das alles sähen und wüssten, dass die das Ruder noch einmal herumreißen würden.

JS Die Kombinatsdirektoren, wie kam er denn darauf?

GW Er dachte von der Wirtschaft aus.

CW Ich erzählte Markus Wolf auch von dem inneren Konflikt, an dem sein Bruder Konrad zugrunde gegangen war. Konny hatte sehr anständig die Akademie der Künste geleitet. Ich hatte ihm aber zuvor von dieser Funktion abgeraten. Ich hatte ihm gesagt: »Entweder du gehst daran kaputt, oder du musst die Scheiße mitmachen.« Bei der

Biermann-Sache musste er dann plötzlich die offizielle Parteilinie vertreten.

JS Ihr wart doch eng mit ihm befreundet, war das danach vorbei?

CW Wir waren sehr befreundet, als wir gemeinsam an den Filmen arbeiteten. Gerd war dann noch Dramaturg bei anderen Filmen von ihm gewesen, bei *Ich war 19* und *Der nackte Mann auf dem Sportplatz* …

GW … *Solo Sunny* hat er schon mit Wolfgang Kohlhaase gemacht. Da war unsere Freundschaft bereits etwas abgekühlt.

JS Warum war sie abgekühlt, aus politischen Gründen?

GW Die Freundschaft hatte viel mit der Arbeit zu tun. Aber wir fühlten uns immer noch befreundet, obwohl wir ihn nicht mehr oft sahen. Wir wussten, dass er das 11. Plenum offiziell verteidigt hatte. Er war oft anderer Meinung. Wir hätten aber trotzdem wieder etwas zusammen machen können. Ich sah ihn nicht als Gegner. Bestimmte Dinge hatten sich eben erledigt. Letzten Endes vertrat er politisch eine ganz andere Meinung als wir.

CW Konny? Nicht so sehr.

GW Aber natürlich!

CW Aber Gerd, am Vorabend des 11. Plenums war ich doch bei ihm, und er sagte: »Christa, jetzt musst du sprechen, sonst gibt es eine Katastrophe!«

GW Ja, aber danach. Ich lese dir vor, was er nach dem 11. Plenum gesagt hat …

Mein Großvater steht auf, will ins Nebenzimmer gehen, um nach dem Buch zu suchen, in dem das steht. Meine Großmutter hält ihn zurück.

CW Na gut.

GW Als Akademiepräsident musste er politisch die Parteilinie vertreten. Trotzdem akzeptierten wir ihn als Mensch. Man verstand seine Situation. Er hatte sich in den Apparat hineinbegeben, er wollte das Beste. Aber zum Besten gehörte auch, dass er in bestimmten Situationen die offizielle Linie verteidigen musste.

CW Konny war ein Mann, der wirklich einen anderen Sozialismus wollte. Einmal gab es ein Essen bei Stephan Hermlin mit dem Schriftsteller Peter Weiss[92], der in Schweden lebte und mit dem wir ganz gut bekannt waren. Dort wurde sehr offen über die DDR geredet. Weiss war ein Linker und wollte, dass die DDR so wird, wie man sie sich wünschte. Er war auch mit Konny befreundet, der mit ihm aber nicht offen sprach. Peter Weiss fragte uns: »Warum sagt mir der Konrad Wolf das nicht?« Ich fragte Konny dann: »Sag mal, warum redest du nicht mit Peter Weiss? Du kannst ihn über die Situation in der DDR nicht im Unklaren lassen.« Da antwortete Konny: »Mensch, ich weiß ja selbst oft nicht, was ich denken soll. Ich kann ihm doch nicht meine Zweifel auch noch aufbürden.«

JS Mich interessieren diese Freundschaften, ihr habt

einmal erzählt, dass viele nach dem Mauerfall zerbrachen. Woran liegt das?

CW Ja, einige zerbrachen. Dafür kamen andere hinzu. Aber insgesamt stimmt das schon. Zum Beispiel die Freundschaft zu Günter de Bruyn.

GW Er hat es anscheinend nie als wirkliche Freundschaft gesehen, wenn man seine Autobiographie[93] liest …

CW Für uns war es eine Freundschaft, aber für ihn wohl nicht.

JS Gingen die Freundschaften immer aus politischen Gründen auseinander?

CW In dem Fall ja, weil er sich uns gegenüber plötzlich so anders zeigte, als wir ihn die ganzen Jahre über gekannt hatten. Da musste man das Gefühl bekommen, er habe uns getäuscht.

GW Bei dem Aufruf *Für unser Land,* den wir unterschrieben hatten, ist er mit Recht ausgestiegen. Das war nicht seine Sache.

CW Aber vorher in der DDR konnte man sich absolut auf ihn verlassen. Zum Beispiel bei den richtig schlimmen Versammlungen im Schriftstellerverband 1979, bei der neun Schriftsteller[94] ausgeschlossen wurden, weil sie sich in einem Brief an Honecker für Stefan Heym[95] eingesetzt hatten. Sie hatten geschrieben, dass kritische Schriftsteller immer häufiger vom Staat diffamiert und kriminalisiert werden würden.

GW Von Hermann Kant[96], der damals Präsident des DDR-Schriftstellerverbandes war, wurde 1979 eine Rede im *Neuen Deutschland* abgedruckt, die er auf einer Vorstandssitzung des Schriftstellerverbandes gehalten hatte. Darin griff er die neun Schriftsteller an.

CW Nun sollte es noch eine Mitgliederversammlung des Schriftstellerverbandes geben. Kurz zuvor sagte Stephan Hermlin zu uns: »Kant war bei mir. Die Sache hat sich geändert, sie sollen doch nicht ausgeschlossen, sondern nur scharf kritisiert werden.« Etwas später hieß es dann: Jetzt ist doch wieder alles anders. Sie sollen ausgeschlossen werden. Hermlin hielt auf der Verbandssitzung eine gute Rede, Kant sprach dagegen. Er sagte, die beschuldigten Autoren seien gegen die DDR und die SED und deren Kulturpolitik in »verleumderischer Weise aufgetreten«.

In der Pause gab es ein dolles Buffet. Viele Stasi-Leute waren da, junge Männer, die in den Gängen warteten und mich bis zur Toilette begleiteten. Das habe ich Hermann Kant übelgenommen, und das kann ich ihm bis heute nicht verzeihen. Er wusste genau, was für ein Mist das war, und votierte trotzdem heftig für den Ausschluss der Kollegen.

In solchen Situationen konnte man sich auf Günter de Bruyn absolut verlassen. Wir hatten uns vor dieser Versammlung getroffen und festgelegt, wie wir uns dort verhalten würden. Als dann abgestimmt wurde, stimmten wir gegen den Ausschluss. Danach wurden nicht einmal die Stimmen ausgezählt. Günter und ich meldeten uns und forderten, dass sie ausgezählt werden. Die anderen sagten: »Kollegen, es war eine so deutliche Überzahl für den Ausschluss. Es ist erledigt.«

JS Gab es nie ein klärendes Gespräch mit ihm?

CW Nein, so ein richtiges Gespräch darüber gab es nie.

GW Während der DDR-Zeit haben wir nie unsere verschiedenen Meinungen diskutiert.

CW Es ging immer nur darum, dagegenzuhalten, darin waren wir uns einig.

GW Die Rede, die de Bruyn 1981 beim Friedenstreffen hielt, war sehr anständig. Dort trat er für die pazifistische Szene in der DDR ein. Das hätten wir in der Art vielleicht gar nicht gemacht. Aber nach dieser Veranstaltung im Cecilienhof 1990, bei der de Bruyn am Tisch von Frank Schirrmacher saß, sahen wir uns nicht mehr oft. Wir hatten kein Bedürfnis mehr. Mit seiner Frau Rosemarie Zeplin blieb der Kontakt bestehen.

CW Wir sind nicht böse aufeinander oder Feinde. Wir reden am Telefon, gratulieren uns auch gegenseitig zum Geburtstag.

JS Eure Freundschaften sind immer auch politisch?

CW Politik war immer dabei und Zuneigung.

JS Ist das heute noch so?

GW Wir sind eng mit Volker Braun und seiner Frau befreundet, das kannst du nie trennen, was wir machen und was sie machen – weltanschaulich.

CW Und wir haben uns enger mit ein paar Westlern angefreundet: mit Maria Sommer[97], den Jannings[98] oder Ulla Berkéwicz[99]. Auch mit Günter Grass hat die Freundschaft erst nach der Wende begonnen.

JS Von euren früheren Freunden sind viele in den Westen gegangen.

GW Ja. Wir haben nie über diejenigen geschimpft, die in den Westen gegangen sind. Aber einige von ihnen nannten nun alle, die in der DDR geblieben waren, »Gehirnamputierte«. Es ging auch um Existentielles, sie hatten es teilweise materiell schwerer als wir. Sie waren nach der Wende gegen alles, gegen einen gemeinsamen Ost-West-PEN-Club, und viele von ihnen traten aus der Akademie der Künste aus.

JS Waren das persönliche Auseinandersetzungen?

CW Nein, das fand immer öffentlich statt, über die Medien.

JS Ich finde es interessant, dass in euren Freundschaften Politik eine so bedeutende Rolle spielt. Ich kenne das aus meiner Generation in der Form nicht.

GW Weil ihr keine politischen Meinungen mehr habt!

JS Das stimmt nicht. Ihr hattet von vornherein viel stärkere politische Überzeugungen und seid dadurch gegenüber anderen Meinungen auch nicht sehr tolerant.

CW Das stimmt!

JS Könntet ihr mit jemandem befreundet sein, den ihr zwar menschlich sympathisch findet, der aber politisch ganz anders denkt als ihr?

CW Da müsste man direkt ein Beispiel nennen.

JS Ihr habt einmal erzählt, dass ihr euch mit dem Historiker Michael Wolffsohn[100] ein paarmal getroffen und euch ganz gut verstanden habt. Er vertritt andere politische Meinungen als ihr, er hält zum Beispiel Folter im »Krieg gegen den Terror« für legitim.

CW Ja, er hat mir jetzt wieder geschrieben … aber eine nahe Freundschaft könnte wohl nicht entstehen. Mit Ulla Berkéwicz ging das dagegen auf Anhieb.

GW Na gut, da standen auch keine weltanschaulichen Dinge im Weg.

JS Ich habe einige Freunde, von denen ich weiß, dass sie ganz andere politische Meinungen vertreten als ich, und es stört mich nicht besonders.

GW Ich hätte nichts dagegen, mich mit jemandem von der CDU anzufreunden, wenn ich ihn sympathisch fände. Ich würde diskutieren.

CW Aber wir können eigentlich kein Beispiel nennen.

GW Es hat es nicht gegeben.

JS Ich glaube, es hat einen Grund, warum es das nicht gegeben hat. Könnt ihr verstehen, wenn ich sage, dass in meinen Freundschaften politische Überzeugungen keine so große Rolle mehr spielen?

CW Wenn ich eure Generation betrachte, kann ich das verstehen. Es gibt diesen weltanschaulichen Kampf nicht mehr, diesen Klassenkampf: Entweder ist man Kommunist oder Gegner. Warum solltet ihr euch noch an so etwas klammern? Und weißt du, Jana, noch mehr freundschaftliche Beziehungen sind während der DDR-Zeit zerbrochen. Dadurch, dass wir uns veränderten und andere sich unserer Meinung nach unanständig verhielten. Die kamen dann für uns nicht mehr in Frage. Wie eben Herrmann Kant oder der Schriftsteller Dieter Noll[101], der 1979 in einem Brief an Honecker Stefan Heym und andere Schriftsteller als »kaputte Typen« bezeichnete und damit dazu beitrug, dass sie später aus dem Schriftstellerverband ausgeschlossen wurden.

GW Nach der Biermann-Sache erschienen wir nicht mehr im Schriftstellerverband. Wir ließen uns da nicht mehr sehen. Wenn wir ein Visum für den Westen haben wollten, gingen wir gleich zum obersten Kulturbeauftragten der Partei, Kurt Hager[102].

CW Jeder, der ins westliche Ausland reiste, musste einen Bericht darüber schreiben. Ich habe das von Anfang an abgelehnt und habe nie einen geschrieben.

JS Wenn ich das richtig sehe, war die Biermann-Ausbürgerung für euch der dritte bedeutende kritische Punkt nach dem 11. Plenum 1965 und dem Prager Frühling 1968, an dem ihr euch entscheidend von der Parteimeinung distanziert habt.

GW Eigentlich waren wir 1968 schon Feinde, für die Stasi sowieso. Eine richtige Kluft tat sich nach der Biermann-Sache auf, da gab es eine Spaltung.

CW Biermann – das war ein Polarisationspunkt. Als ich in jenem November 1976 mit zwei schweren Taschen vom Einkaufen in die Wohnung in der Friedrichstraße zurückkehrte, kam ich in die Küche, und da lief das Radio. Ich hörte die Meldung über die Ausbürgerung, ließ die Taschen fallen, setzte mich und dachte: Das geht zu weit! Jetzt passiert etwas. Schon eine Stunde später rief Stephan Hermlin an und sagte: »Ihr habt es doch sicher im Radio gehört. Bitte kommt morgen.« Er war der Initiator.

GW Es gab zwei Entwürfe des Protestbriefes. Einen von Stefan Heym, den haben wir verworfen, und den von Hermlin, den haben wir noch bearbeitet.

CW Als wir uns im Haus von Hermlin trafen, verschwand Stefan Heym immer im Nebenzimmer, in dem die Schreibmaschine stand. Einmal kam er heraus und sagte: »Also gemeinsam mit Schriftstellern einen Text zu formulieren ist schlimmer als Flöhe hüten.«

Ich weiß nicht, ob wir dir das einmal erzählt haben. Nachdem wir den Protestbrief bei Hermlin geschrieben hatten, ging es darum: Wie kommt der unter die Leute? Natürlich geben wir ihn an die DDR-Nachrichtenagentur ADN, und natürlich ist klar, dass die ihn nicht veröffentlicht. Also beschlossen wir: Hermlin geht zu Agence France-Press, und Heym zu Reuters, zu deren Ostberliner Büros. Außerdem wollten wir den Brief auch Anna Seghers zeigen. Sie war damals die Präsidentin des Schriftstellerverbandes und sollte es nicht aus der Zeitung erfahren. Die

Frage war, wer geht zu ihr? Icke! Später saß ich mit Sarah Kirsch im Auto, und sie sagte: »Es könnte sein, dass wir verhaftet werden.« An diesem Tag hatte ich noch ein Interview mit dem polnischen Fernsehen, erst danach nahm ich ein Taxi zu Anna Seghers und zeigte ihr den Text. Sie erbleichte: »Ihr wisst gar nicht, was ihr da jetzt gemacht habt!« – »Doch!«, sagte ich. »Man kann das nicht unwidersprochen lassen. Ein Mann, dessen jüdischer Vater im KZ umgebracht wurde, wird ausgebürgert. Das haben die Nazis früher gemacht. Das geht nicht.« Anna fragte: »Kann ich es noch meinem Mann zeigen?« Als sie ging, wusste ich, die Sache ist gelaufen, und telefonierte schon nach einem Taxi. Sie kam zurück und sagte: »Er sagt auch, das hättet ihr nie an die ausländische Presse geben dürfen.« Ich antwortete: »Aber Anna, das wäre doch hier nie erschienen!«

GW Danach sollten wir immer bekennen, es sei ein Fehler gewesen, dass wir den Brief einer »feindlichen Agentur« gegeben hätten. Und ich sagte: »Na gut, aber sonst wäre er gar nicht an die Öffentlichkeit gelangt.«

CW In der ersten Zeit sollten wir alles zurücknehmen. Als sie merkten, dass wir nichts zurücknahmen, sollten wir nur noch sagen: Es war ein Fehler. Die Parteigruppe im Schriftstellerverband wollte unbedingt nach oben melden: Ja, sie haben alle zugegeben, es war ein Fehler. Aber auch dazu kam es nicht. Das Ganze zog und zog sich hin.

GW Und dann fiel Hermlin auf Honeckers diplomatische Taktik herein.

CW Leider ja. Als Hermlin uns das erzählte, erbleichten wir.

GW Honecker hatte ein Schreiben verfasst, in dem stand: »Es war ein Fehler, das Protestschreiben einer westlichen Nachrichtenagentur zu geben.« Hermlin änderte: »Es war mein Fehler.« Der Brief wurde uns nun allen vorgelegt mit den Worten: Wenn der Hermlin das sagt, könnt ihr das auch sagen! Hermann Kant meinte zu mir: »Selbst Hermlin hat zugegeben, dass es ein Fehler war, dann kannst du es doch auch einsehen.« Es ging nur noch um diese blöde Formalität. Ich antwortete: »Na, wartet erst einmal ab, man weiß gar nicht, ob das ein Fehler war. Man muss doch erst einmal sehen, wie der Biermann sich entwickelt.« Das wollten die nun gar nicht hören. Später meinte Kant zu Stephan Hermlin: »Da hat sich der Wolf mit seinem Stuhl richtig in die Erde gebohrt.«

CW Einmal gab es uns, die zwölf Erstunterzeichner des Protestbriefes gegen die Ausbürgerung, und dann gab es die, die später unterzeichnet hatten, neben Künstlern und Intellektuellen auch Studenten in Jena und anderswo. Die wurden zum Teil sehr viel härter verfolgt als wir. Weil wir prominenter waren, traute man sich an uns nicht so heran. Andere wurden entlassen oder verhaftet. Und dann gab es die, die wirklich dachten, wir seien nun Gegner. Sie griffen uns auf Versammlungen an, warfen uns vor, wir seien Konterrevolutionäre. Dann gab es noch eine weitere ziemlich große Gruppe von Leuten, die ein ganz schlechtes Gewissen hatten. Die eigentlich auch unterschreiben wollten, es aber aus Feigheit oder anderen Gründen nicht getan hatten. Ich konnte gut verstehen, dass jemand seine Arbeit nicht verlieren mochte. Wir nahmen das niemandem übel, aber die nahmen es sich selbst übel. Manche von denen konnten es sich selbst nicht verzeihen.

JS Kurz nach eurem Protestbrief wurdest du, Opa, aus der Partei ausgeschlossen und Oma nicht. Wieso?

GW Ich geriet in die erste Gruppe hinein. Christa wurde vor dieser Versammlung in der Parteigruppe des Schriftstellerverbandes nach Hause geschickt, weil sie einen Herzanfall hatte. Günter Kunert[103] wurde auch nach Hause geschickt. Die beiden wurden später abgehandelt. Christa hätte aus der Partei austreten müssen, aber das wollten die nicht. Das war eine richtige Taktik.

JS Das verstehe ich nicht: Oma wollte aus der Partei austreten, aber die Partei ließ sie nicht gehen?

GW Honecker wollte Stephan Hermlin und sie nicht ausschließen.

CW Jedes Mal, wenn ich vor der Parteikommission erschien, sagte ich: »Ich habe dasselbe gemacht wie mein Mann. Ich bin nach wie vor derselben Meinung und möchte ausgeschlossen werden.« Dann sagten die: »Nun beruhige dich mal!« Ich bekam eine strenge Rüge, aber sie schlossen mich nicht aus. Also hätte ich selbst direkt austreten müssen. Gerd und ich überlegten gemeinsam, ob ich das machen sollte. Aber dann hätten wir wahrscheinlich die DDR verlassen müssen.

JS Das wäre die einzige Alternative gewesen?

CW Wahrscheinlich. Wir wollten eigentlich nicht weggehen. Da kam Walter Janka zu uns und sagte: »Man tritt nicht aus der Partei aus, man lässt sich ausschließen, wenn es so weit ist.«

JS War das für eure Beziehung nicht schwierig, dass der eine ausgeschlossen wurde und der andere nicht?

GW Ein paar Tage ja, dann nicht mehr.

CW Ich habe mich natürlich gar nicht wohl gefühlt. Ich schrieb einen Brief, dass ich aus dem Vorstand des Schriftstellerverbandes austrete. Und da sie mich aus der Partei nicht ausschließen wollten, würde ich an keiner Parteiveranstaltung mehr teilnehmen. Ich war aber noch in der Parteigruppe des Schriftstellerverbandes. Dort gab es Versammlungen, auf denen Kollegen sagten: »Also, so geht es ja nun nicht mit der Wolf!« Dann redete ich mit Konrad Wolf und fragte ihn, ob er mich in die Parteigruppe der Akademie der Künste aufnehmen würde. Konny stimmte zu. Dort bin ich aber auch nicht hingegangen. Ab und zu schaute ein Parteisekretär vorbei und fragte, ob ich nicht einmal zu einer Versammlung kommen wolle. »Nein«, sagte ich. »Schließt mich doch aus, das sage ich ja die ganze Zeit.«

JS Und dich, Opa, haben sie direkt auf der Parteiversammlung hinausgeworfen?

GW Ich bekam sogar die schärfste Strafe.

CW Weil sie immer dachten, er habe mich angestiftet.

GW Es gab zwei Formen des Ausschlusses – Ausschluss oder Streichung. Von den Erstunterzeichnern des Protestbriefes war ich der Einzige, der sofort ausgeschlossen werden sollte. Auf mich waren sie besonders böse, weil ich in den Aussprachen keine Besserung gelobt hatte. Auf der Versammlung der Parteigruppe im Schriftstellerverband saß Jurek Becker[104] neben mir, und ich sagte noch zu ihm: »Warum sind die auf mich am meisten sauer?« Den anderen wurde zur Strafe nur ihre Parteimitgliedschaft gestrichen, aber sie wurden nicht ohne alle Vorstufen aus der Partei ausgeschlossen. Jurek Becker sagte dann: »Pass auf!« Er ging nach vorn und hielt eine ganz scharfe Rede. Daraufhin schlossen sie auch ihn aus. Die Stimmung dort war unheimlich geladen. Alte Spanienkämpfer traten auf und riefen: »Solche Leute wie Stephan Hermlin haben wir damals erschossen!«

JS Die Schriftsteller gingen aufeinander los.

CW Aber wie!

GW Bei mir stimmten fast alle außer den Mitausgeschlossenen gegen mich. Nur einer, mein ehemaliger Vorgesetzter vom Rundfunk, enthielt sich der Stimme.

JS Und du, Oma, warst da nicht dabei?

CW Nein, ich hatte wirklich etwas am Herz und wollte trotzdem in den Saal. Die ließen mich und Kunert aber nicht hinein. Später wurde ich einmal zu Honecker gerufen und sagte ihm, dass ich nach wie vor der Meinung sei, ich müsste ausgeschlossen werden genau wie mein Mann. Ich hätte auch nichts zurückgenommen. Die Stasi hatte in unserer Gruppe der Erstunterzeichner verbreitet, ich hätte meinen Protest zurückgenommen. Das war das Schlimmste. Ich merkte, wie einige plötzlich von mir abrückten, sich mir gegenüber anders verhielten. Gott sei Dank steht in unserer Akte, wie die Stasi versuchte, dieses Gerücht zu verbreiten. In diesem Fall war mir absolut klar, ich nehme nichts zurück. Hätte ich das zurückgenommen, hätte ich nicht mehr schreiben können. Weißte, das wäre nicht mehr gegangen. Honecker meinte zum Schluss: »Bleib mal bei uns. Die Partei wird so, dass auch du bleiben und gut schreiben kannst.«

JS Da muss eine Stimmung unter den Schriftstellern geherrscht haben, wenn der eine den anderen ausschließen will … Das ist doch keine Umgebung, in der man noch gern arbeitet.

CW Man ging nicht mehr in diese Institutionen. Das Ganze zog und zog sich weiter hin. Dann ging es darum, diejenigen, die im Vorstand des Schriftstellerverbandes saßen und den Fehler nicht zugeben wollten wie ich, auszuschließen. Dazu gab es eine Versammlung im Schriftstellerverband, zunächst in der Parteigruppe. Im Vorstand waren ungefähr dreißig Leute, davon zwanzig in der Parteigruppe. Sie redeten auf uns ein: Wir sollten doch nun endlich einmal einsehen, dass wir einen Fehler gemacht hätten. Neben mir saß Volker Braun, wir wichen nicht von unserer Linie ab. Die sagten: »Also, ihr seht, Genossen, sie sind unbelehrbar, und wir müssen sie aus dem Vorstand ausschließen.« Die wollten abstimmen. Auf einmal meldete sich Anna Seghers: »Na, Genossen, lasst mich einmal was sagen. Also schaut mal, wenn die das mit Gewalt nicht sagen wollen, dann müsst ihr sie doch einmal in Ruhe lassen. Wenn die es nicht zugeben wollen, dann wollen sie nicht.« Die anderen waren sehr erstaunt: »Aber Anna, du hast doch vorgestern selbst noch gesagt …« Anna: »Ja, man kann seine Meinung ändern.« – »Also Anna, du bist nun nicht dafür, dass sie ausgeschlossen werden?«

Ich dachte nur, bin ich jetzt im Kindergarten? Ich bekam fast einen Lachanfall. Nun war die Frage: Was machen sie jetzt? Die richtige Vorstandssitzung sollte noch folgen. Es gab eine Pause, die mussten erst einmal beraten. Draußen war schon das Buffet aufgebaut. Volker Braun und ich gingen spazieren und rätselten, wie die Verbandsfunktionäre dieses Problem nun lösen würden. Dann ging die Versammlung weiter, und die Nicht-Genossen kamen hinzu, unter ihnen Franz Fühmann, der den Protestbrief auch unterzeichnet hatte. Der Tagesordnungspunkt »Ausschluss« wurde einfach übergangen. »Wieso?«, fragte Fühmann. Er wolle auch ausgeschlossen werden. Dann erklärten sie ihm, es hätten sich neue Sachen ergeben. Nun seien sie der Meinung, sie sollten den Punkt fallenlassen. »Ach so«, sagte Fühmann. »So ein Quatsch. Ihr seht mich hier nie wieder!« Er nahm seine Sachen, ging seiner Wege und tauchte nie wieder dort auf.

JS Du erzählst das jetzt eher amüsant. Damals fandst du das bestimmt nicht komisch, oder?

CW Man konnte schon darüber lachen, aber lustig war es nicht.

JS In dieser Zeit müsst ihr doch sehr angespannt gewesen sein.

CW Ja, ich vielleicht noch mehr als Gerd. Ich war sehr, sehr angespannt, hatte so eine Kreislaufsache.

JS Ihr scheint andauernd nur mit politischen Versammlungen, Positionierungen und Kämpfen beschäftigt gewesen zu sein.

GW Ja sicher, mit was denn sonst?

JS Das zeigt auch einen sehr engen Blick auf die Welt. Für mich klingt das heute ein wenig seltsam, mit welcher Vehemenz und Härte ihr über kleinste ideologische Abweichungen gestritten habt. Obwohl auch ich noch FDJ-Versammlungen erlebt habe, bei denen man Selbstkritik üben sollte. Das ist nicht vergleichbar mit euren Konflikten. Aber ich weiß noch, in was für eine Krise es mich stürzte, als ich mit 14 in die FDJ eintreten sollte. Ich wollte nicht, hatte aber Angst. Ich dachte, ich würde mir meine ganze Zukunft verbauen, könnte wahrscheinlich kein Abitur machen und nicht studieren. Einerseits wollte ich meiner Überzeugung treu bleiben, andererseits fürchtete ich die Konsequenzen. Ich konnte auch nicht behaupten, ich sei religiös. Das wurde ja manchmal noch akzeptiert.

Obwohl die FDJ in meinem Umfeld in den achtziger Jahren sowieso kaum noch ernst genommen wurde. Meine Mitschüler und ich schnitten die Kragen unserer Blauhemden ab, steckten sie unter unsere Pullover, so dass nur sie noch aus ihnen hervorschauten. Das ganze Hemd wollten nur noch wenige tragen. Aber solche ideologischen Kämpfe wie bei euch habe ich nicht mehr erlebt. Dazu war das System schon zu erschöpft.

Von meinem Wehrerziehungslehrer habe ich euch schon einmal erzählt. Der war schlimm. In der neunten Klasse hatten wir zwei Wochen Wehrerziehung in der Schule. Die Jungs mussten in ein Lager fahren, die Mädchen durften dableiben. Wir übten Krieg, trugen Uniformen, Gasmasken, marschierten um den Schulhof und sangen Kampflieder wie: »Spaniens Himmel breitet seine Sterne über unsere Schützengräben aus.« Dann wurden aus unserer Klasse Gruppenführer gewählt. Die fanden plötzlich Spaß daran, uns, ihre Mitschüler, zu quälen, ließen uns zum Beispiel im Regen durch den Schlamm robben. Am zweiten Tag bekam ich von der Uniform am ganzen Körper Ausschlag und konnte mich krankmelden. Ich versuchte, mit anderen aus meiner Klasse darüber zu sprechen. Aber da war nur Schweigen, sie empfanden das anscheinend nicht so wie ich. Ich fühlte mich in meinem Entsetzen ziemlich allein. Manchmal denke ich, im Vergleich dazu geht es in meinem heutigen Leben um geradezu harmlose Fragen.

CW Im Schriftstellerverband merkten damals alle, dass etwas Schlimmes vor sich ging. Aber es gab sehr unterschiedliche Meinungen darüber. Was sollte man auch sagen, wenn die armen alten Genossen, die in der Emigration, im KZ oder auch in Moskau und in russischen Lagern gewesen waren, wenn die bei jeder Sache sofort das Signal vernahmen: Jetzt kommt die Konterrevolution! Anna Seghers rief mich nach der Biermann-Sache andauernd an und sagte: »Jetzt hupfste über den Graben!« Und ich antwortete: »Nein!«

JS Das hat mich in der DDR immer genervt – dieses: Wenn du nicht für uns bist, bist du gegen uns!

CW Kurz darauf hatte Anna Geburtstag und sagte: »Komm bloß her und lass mich nicht mit diesen Schranzen allein.«

GW Ich wurde nicht mehr eingeladen. Ich war der böse Geist der Familie.

JS Hattet ihr beide in dieser Zeit Konflikte miteinander?

CW Nur als ich ins ZK gegangen bin, da war Gerd zu Recht ganz und gar dagegen. Ich wusste aber damals nicht, wie ich mich da wieder herausziehen sollte. Sonst waren wir völlig einer Meinung.

GW Ich hätte Christa auch nie geraten, aus der Partei auszutreten. Das hätte bedeutet, dass wir uns in der DDR nicht hätten halten können. Das hätten die Führenden als Bruch empfunden, und sie hätten uns noch mehr schikaniert.

JS Wärst du denn gern in der Partei geblieben, Opa?

GW Ach, ich hatte mit denen nichts mehr im Sinn.

JS Es hört sich an, als wäre es eine einzige Taktiererei gewesen: Wie weit kann man gehen, wie verhält man sich am geschicktesten?

GW Das war einfach so. Stefan Heym, zum Beispiel, haute im Westen auf den Putz und veröffentlichte drüben. Auf den waren die Genossen besonders sauer, nannten ihn »diesen ehemaligen US-Bürger«. Aber auch er wollte nicht fort aus der DDR.

CW Nach dem Mauerfall sah ich mit Heyms Frau Inge manchmal zeitgleich die Stasi-Akten in der Normannenstraße ein. Als sie las, was die Staatssicherheit alles über sie gesammelt hatte, sagte sie: Mensch, vielleicht hätten wir doch weggehen sollen. Sogar ihre Haushälterin hatte sie bespitzelt[105].

JS Von den nahen Menschen war in eurem Umfeld nur

Thomas Nicolaou bei der Stasi, habt ihr ihn in der Zwischenzeit nun einmal wiedergesehen?

CW Nein. Ich habe ihm das auch nicht so furchtbar übelgenommen, aber hinterher hätte er es uns ruhig einmal erzählen können.

JS Loyalität und Verrat haben in euren Freundschaften eine ganz andere Bedeutung als in meinen heute. Es geht zum Glück nicht mehr um so existentielle Dinge.

GW Wo würde man heute von Verrat sprechen? Andrea Ypsilanti – Lügilanti, das nennt man dann Verrat.

JS Du meinst die SPD-Spitzenkandidatin in Hessen, die erst jegliche Zusammenarbeit mit den Linken ausschloss und nach der Landtagswahl in diesem Januar eine rot-grüne Minderheitsregierung mit der Tolerierung der Linken anstrebte.

GW In diktatorischen Gesellschaften bedeutet Verrat etwas anderes. Heute geht es um die Steuer, wenn du dein Geld in der Schweiz oder in Liechtenstein anlegst, ist das auch Verrat.

JS Aber der trifft einen nicht persönlich, der dringt nicht in die intimsten Bereiche vor. Obwohl man über diese existentiellen Konflikte gut schreiben kann. Alles ist immer bedeutsam. Deshalb finde ich viele Bücher von jungen deutschen Autoren heute öde, weil es in ihren Texten meist um nicht viel geht, was man ihnen aber auch nicht vorwerfen kann. Kommen euch die vergangenen 18 Jahre nach dem Mauerfall manchmal ein bisschen langweilig vor?

GW Man ist halt nicht mehr so eingebunden. Aber was heißt langweilig? Die Angriffe auf Christa waren nicht langweilig. Das läuft als Unterströmung weiter. Die Geschichte mit Günter Grass und der SS, plötzlich kommt das wieder hoch, oder die Diskussion um Walter Jens[106] und seine Mitgliedschaft in der NSDAP. Aber das betrifft deine Generation nicht mehr richtig. Das sind die alten Kämpfe, rechts gegen links. Nur in einer pluralistischen Gesellschaft spitzt sich nicht mehr alles auf diesen Kampf zu.

JS Kurz regen sich alle auf, und dann ist es wieder vorbei.

CW Weil eine neue Sau durchs Dorf getrieben wird.

Wir schweigen für einen Augenblick. Mein Großvater und ich räumen den Tisch ab. Meine Großmutter sieht auf den Herd, springt auf.

CW Ich sehe mit Schrecken, mein Gehacktes steht noch im Ofen!

GW Wo engagierst du dich eigentlich, Jana?

JS In der Zeitung.

GW Aber wofür eigentlich?

JS Für Themen, von denen ich denke, dass sie in die Öffentlichkeit sollten.

GW Kann man denn überhaupt etwas ausrichten?

JS Manchmal. In Einzelfällen.

GW In deinem Buch *Denn wir sind anders* über deinen Jugendfreund Felix, der dunkelhäutig war, ein Hooligan und sich das Leben nahm, ergreifst du richtig Partei.[107]

JS Das ist auch ein sehr persönliches Buch. Mit Felix bin ich aufgewachsen, ich kannte ihn mein halbes Leben lang. Und am Ende brachte ihn unter anderem eine Staatsanwältin zu Fall. Eine solche Parteinahme kann man in Zeitungsartikeln nicht in diesem Maße machen. Es ist auch die Frage, ob man stets zu allem seine Meinung äußern will und soll. Ich bin nicht der Typ, der flammende Leitartikel schreibt. Das ist nicht meine Ausdrucksform. Ich suche mir eher eine Person oder eine Geschichte, an der entlang ich ein Thema beschreiben kann. Ich will Geschichten erzählen. Diese Eindeutigkeit wie bei euch: Ich bin entweder dafür oder dagegen, empfinde ich als nicht mehr so zeitgemäß. Auf der anderen Seite hat das Geschriebene dadurch vielleicht weniger Kraft.

GW Früher hielten wir die *Zeit* für ein großes linksliberales Blatt. Das ist sie heute nicht mehr.

JS Ich finde es gut, dass man nicht mehr sagen kann, das ist ein linksliberales oder ein konservatives Blatt. Es schreiben eben verschiedene Menschen mit verschiedenen Meinungen in einer Zeitung. Das entspricht eher der heutigen Zeit.

GW Ob das so zum Ausdruck kommt?

JS Ich finde schon. Ob Josef Joffe[108] oder Bernd Ulrich[109] schreiben, ist ein Unterschied.

GW Die kenne ich nicht. Die haben doch gar nicht mehr die Präsenz oder die Bedeutung wie früher.

CW Du, Gerd, das kommt daher, dass wir das nicht mehr so verfolgen. Wenn Jana zum Beispiel zwei Namen nennt, weiß ich, ich habe sie schon einmal gelesen, könnte sie aber keiner bestimmten Richtung zuordnen.

JS Zeitungen spielen an sich leider nicht mehr eine so große Rolle. Eine Fernseh-Talkshow wie *Sandra Maischberger* hat wahrscheinlich mehr Einfluss, obwohl das nicht unbedingt eine politische Sendung ist.

CW Hör mal, Jana, wenn du soziale Themen behandelst, ist das auch politisch.

JS Ich denke manchmal, wir haben es schwerer als ihr, uns zu positionieren, weil es diese eindeutigen ideologischen Konflikte kaum noch gibt.

GW Eben. Früher wusste man, wofür und wogegen einer war.

JS Jetzt sind die 68er sehr stark, gegen die kann man kaum rebellieren.

CW Ist es für euch kein Thema, sich zu fragen, wohin diese Gesellschaftsordnung in der Globalisierung steuert?

JS Doch, aber wir oder besser ich setze mich damit nicht ideologisch auseinander. In den Geschichten über die Globalisierung spielt dieses Thema immer eine Rolle. Die Globalisierung hat in China und Indien aber auch Millionen

Menschen Arbeit gebracht und aus der Armut befreit. Es ist eben nicht mehr so eindeutig. Ich frage mich vieles, aber es gibt keine Antwort.

CW Es gibt keine Alternative.

JS Es gibt keine Ideologie wie bei euch, an die meine Generation glaubt und woran sie sich orientiert. Das hat viele Vorteile, wir sind dadurch misstrauischer und vielleicht nicht so verführbar wie ihr. Aber wenn man von etwas völlig überzeugt ist, hat das natürlich mehr Kraft.

GW Das merkt man in der Literatur ganz deutlich. Da spricht man nun von einer Dominanz der Ostproblematik bei den Jüngeren. Marcel Beyer[110] lässt seinen Roman *Kaltenburg* in Dresden spielen und setzt sich darin mit der DDR-Geschichte auseinander. Das finde ich hochinteressant, viele Schreiber finden dort noch Konflikte und Widersprüche, die hart aufeinanderprallen. Sonst sind die heute vielleicht nicht so greifbar. Die mittlere Generation der DDR-Literaten konnte Konflikte aufgreifen, die in den Medien nicht behandelt wurden. Heute wird in den Medien alles behandelt.

JS Die Bedeutung der Literatur und der Literaten war in der DDR auch eine andere. Man merkt es daran, was ihr erzählt. Ständig musstet ihr euch vor irgendeiner Kommission rechtfertigen, ständig wurde auf das reagiert, was ihr gesagt oder gemacht habt. Das ist heute anders. Heute muss man sehr laut schreien, um noch gehört zu werden. Manchmal war diese ungeheure Bedeutung, die ihr als Schriftsteller in der DDR hattet, bestimmt auch sehr schmeichelhaft.

CW Das war aber auch sehr anstrengend. Heute entzünden sich die Auseinandersetzungen mehr am Personal, wie zum Beispiel an der Figur des SPD-Vorsitzenden Kurt Beck. Um die Sozialdemokratie geht es dabei gar nicht mehr. Oder ich lese auf der Medienseite der Zeitung: Dieser Chefredakteur geht, dafür kommt ein anderer. Das ist mir völlig egal, ich kenne weder den einen noch den anderen.

JS Ich verfolge das immer sehr aufmerksam.

GW Zum Beispiel dein Chefredakteur, Giovanni di Lorenzo[111], wie würdest du ihn politisch charakterisieren?

JS Als nonkonformistisch, nicht einfach einzuordnen. Wertkonservativ mit linken Einsprengseln, würde ich sagen. Was er wählt, weiß ich nicht.

CW Er hält den Kapitalismus für die richtige Gesellschaft?

JS Ich denke ja, obwohl er auch dessen Krise sieht.

CW Und wie sieht das deine Generation?

JS Der Teil meiner Generation, der im Westen aufgewachsen ist, kennt keine andere Gesellschaftsform. Ich finde es interessant, dass sich viele von ihnen gar nicht vorstellen können, dass überhaupt ein anderes System existieren oder unser jetziges System einmal zusammenbrechen könnte. Viele denken, diese Gesellschaftsordnung ist die einzige, die funktioniert, und die muss nun möglichst überall auf der Welt funktionieren. Ein naiver Gedanke!

CW Über die Bankenkrise, von der ich wenig verstehe, hört man doch sehr besorgte Stimmen. Wenn es heute wirklich zu einem Crash käme, wäre das vergleichbar mit der Krise Ende der zwanziger Jahre. Das müsste doch auch bei deinen Kollegen Erschrecken auslösen.

JS Diese Szenarien kann man sich nicht ständig im Detail ausmalen.

GW Helmut Schmidt hat neulich ein sehr düsteres Bild gemalt. Durch die Überbevölkerung und das Aufkommen des globalen Islamismus würden ganz neue Konstellationen in der Welt entstehen. Warum sollte nicht doch einer mal Atomwaffen einsetzen? Es kann auch sehr schnell sehr eindeutig werden, wenn die USA tatsächlich im Iran zuschlagen.

CW Ich habe Angst vor dem fanatischen Islamismus.

JS Ich glaube, wir wissen ziemlich wenig über den Islam und den Islamismus. In den vergangenen Jahren habe ich viele Geschichten über Muslime geschrieben, auch um sie besser zu verstehen. Dabei merkte ich, wie wenig ich über sie weiß und wie wenig ich sie verstehe oder mich in ihren Glauben hineinversetzen kann. Es wird nun oft von einem »Kampf der Kulturen« gesprochen. Ich weiß nicht, ob das wirklich so ist. Wart ihr eigentlich jemals im Nahen Osten, in Asien oder in Afrika?

CW Davor habe ich mich immer gedrückt. Dorthin wollte ich nie. Ich war zu feige. Ich hatte mehrmals Einladungen nach Japan und bin nie hingefahren.

GW Das sind so fremde Kulturen. Als Tourist schaut und staunt man nur. Als wir damals 1980 in Griechenland waren, das war eine richtige Eroberung einer vergangenen minoischen Kultur. Oder die USA. Das hatte aber auch mit unserer Arbeit zu tun.

JS Das heißt, ihr habt euren Kulturkreis nie verlassen.

CW Nein. Von einem bestimmten Punkt an wurde mir bewusst, dass ich das nicht will. Ich bin eurozentriert und schaffe es nicht, noch mehr aufzunehmen und zu verarbeiten.

JS Nicht einmal in der DDR hattet ihr Fernweh?

CW Wir waren in Georgien am Schwarzen Meer. Das war auch interessant.

JS Das ist mir ganz und gar unbegreiflich. Heute reisen die meisten schon früh ins Ausland, leben, studieren oder arbeiten ein paar Jahre woanders. Auslandserfahrung gehört schlicht dazu. Ich hatte schon immer extremes Fernweh. Das ist bis heute so geblieben.

CW Ja, du hattest das von Anfang an.

GW Warum hätte man sich die Pyramiden in Ägypten ansehen sollen? Na gut, du siehst sie und dann …

CW … die Pyramiden sind ein gutes Beispiel. Wie sie aussehen, wissen wir aus dem Fernsehen. Da schaue ich mir solche Sendungen immer an, aber ich muss da nicht hin. Ich lese, wie Ingeborg Bachmann die Pyramiden erlebt hat. Aber Griechenland damals war eindrucksvoll, die minoische Kultur musste ich gesehen haben, diese wunderbaren minoischen Fresken.

JS Ich wollte immer selbst überallhin reisen, alles sehen, schon von klein auf.

CW Es war ganz klar, dass du, wenn die Mauer nicht gefallen wäre, nicht mehr lange in der DDR geblieben wärst.

JS Das wusstet ihr damals schon?

CW Ja. Annette und Honza wollten ja auch vor dem Mauerfall weg. Sie kamen zu uns und meinten, dass könnten sie nur mit unserer Hilfe schaffen. Dann kam der Reformprozess in Gang, und das hatte sich erledigt.

JS Da war ich stinksauer. Ich wähnte mich schon im Westen, und Annette und Honza begannen, sich im Neuen Forum zu engagieren, und meinten plötzlich, sie wollten bleiben. Ich sprach zwei Wochen kein Wort mit ihnen. Damals hatte ich einen Freund aus dem Westen, einen Österreicher. Als ich so 15, 16 war, kam er mich einmal in Ostberlin besuchen, jeden Tag musste ich ihn um Mitternacht zum Grenzübergang an der Friedrichstraße zurückbringen. Dort wartete ich auf ihn, während er eine System-Schleife drehte. Nach zwei Stunden kehrte er mit einem Tagesvisum zurück nach Ostberlin. Die Putzfrauen betrachteten mich ganz mitleidig. Im Westen hätte ich ihn natürlich einfacher und öfter sehen können.

Jetzt aber einmal ein ganz anderes Thema: In deinen Büchern, Oma, spielt Sex eigentlich gar keine Rolle. Charlotte Roches Buch *Feuchtgebiete* steht gerade ganz oben auf der Bestsellerliste. Sie schreibt über all das, was man nicht unbedingt lesen will, zum Beispiel über Hämorrhoiden, und hat damit unheimlichen Erfolg.

CW Ich wundere mich darüber. Das deutet darauf hin, dass die sexuelle Befreiung noch nicht sehr fortgeschritten ist.

GW Das gibt es doch alles schon viel besser bei Henry Miller. Damals war das eine richtige Revolution. Roche ist dagegen sehr langweilig.

JS Vielleicht geht das nur euch so!

CW Vielleicht. Wir sind noch sehr verklemmt erzogen worden. Meine Mutter war fassungslos, dass ich als Studentin mit Gerd im selben Haus wohnte und einfach in sein Zimmer hinaufging, um mit ihm Kaffee zu trinken. Sie sagte: »Du kannst doch nicht zu ihm rauf, er könnte doch im Bett liegen und schlafen.« Da war schon längst alles passiert, und Gerd musste meiner Mutter beibringen, dass wir ein Kind bekommen.

JS *(zu GW)* Oje, wie hast du das gemacht?

GW Na, ich habe ihr gesagt, wir kriegen ein Kind. Da brach für sie anscheinend eine Welt zusammen, sie beschimpfte Christa mächtig.

JS Wer hat euch denn aufgeklärt?

CW *(lacht)* Aufgeklärt ist gut! Dass Kinder im Bauch einer Frau wachsen, war mir lange nicht klar. Als ich sieben oder acht Jahre alt war, hatte ich eine Freundin in Landsberg, die sagte: »Weißt du, dass Frau Altenau ein Kind kriegt?« Ich: »Nee!« Sie zeigte es mir dann. Ich musste Frau Altenau auf der Straße entgegengehen. Ich sehe sie noch vor mir, sie trug einen Mantel, der nicht mehr richtig zuging, und darunter sah ich diesen überdimensionierten Bauch. Die Freundin erklärte mir, darin wachse ein Kind. Das war mir neu.

JS Und woher wusstet ihr, wie die Kinder entstehen?

CW Ich muss es gewusst haben. Mein Bruder Horst und ich schliefen in einem Zimmer. Abends lagen wir im Bett und unterhielten uns lange. Eines Abends wollte er von mir wissen, wie die Kinder gemacht werden. Ich war zwölf und wusste es komischerweise, denn ich sagte, das könne ich ihm nicht verraten, er sei noch zu klein. Er meinte, ich könne es ihm ruhig erzählen, er würde es sowieso gleich wieder vergessen. Da erzählte ich es ihm und fragte anschließend: »Hast du es schon vergessen?« Er: »Ja!« Ich habe ihn aufgeklärt, aber wer mich aufgeklärt hat, weiß ich nicht.

GW Man konnte in Lexika und Büchern nachschauen.

CW Stimmt. Im Wäscheschrank meiner Eltern lag ganz klassisch ein Buch, *Mann und Weib*. Das schlug ich auf und schaute mir die Bilder an.

GW Man hat sich mit den Jungs darüber unterhalten.

JS Also eure Eltern schwiegen dazu?

CW Mit meiner Mutter konnte ich darüber nicht sprechen. Sie verachtete das Triebhafte. Man hatte sich zu beherrschen. Die Generation unserer Eltern hatte für Sexualität keine Sprache. Wir waren schon etwas offener.

GW Mein Vater bewahrte in seiner Brieftasche Zettelchen mit schweinischen Witzen auf. Die fand ich und erzählte die Witze auch.

JS Und wie habt ihr es später bei euren Töchtern gemacht?

CW Das musst du sie einmal fragen. Wir waren sicher offener als unsere Eltern, aber nicht offen genug. Heute geht man anders mit Kindern um.

JS Ich wurde bei euch in Neu-Meteln von Helga Paris' Tochter aufgeklärt. Da war ich fünf. Und meine Mutter und Honza hatten in unserer Johannisthaler Wohnung einen *Playboy* versteckt. Im Buchregal stand auch der Erotikband *Das Delta der Venus* von Anaïs Nin[112]. Darin blätterte ich manchmal. Ich stellte es dann schnell wieder zurück, damit nur niemand bemerkte, dass ich darin gelesen hatte. Peinlich, peinlich. Ich war mitten in der Pubertät und empört darüber, dass meine Eltern so etwas »Pornoartiges« herumliegen hatten. Faszinierend fand ich es aber doch.

In der achten Klasse wurde bei uns in Biologie die Fortpflanzung des Menschen durchgenommen. Viele Lehrer ließen sich extra deswegen krankschreiben. Die Armen. Bei uns kam es aber noch schlimmer. Bei uns übernahm meine Mutter die Aufklärung, weil sie Psychologin ist. Alle Schüler konnten anonym Fragen auf Zettelchen notieren, und sie beantwortete die während einer Unterrichtsstunde. Das waren Fragen wie: Was ist schwul? Was ist lesbisch? Es war mir unsagbar peinlich.

CW Das kann ich mir denken.

JS Habt ihr die Fortpflanzung des Menschen nicht in der Schule behandelt?

CW Um Gottes willen. Ich ging lange auf eine Mädchenschule. Und es gab noch nicht einmal die Pille.

GW In der DDR gab es das Standardwerk *Mann und Frau intim* von Siegfried Schnabel[113], das war für alle Aufklärungsfragen zuständig.

Berlin-Pankow, 18. Mai 2008

Als ich an einem späten Sonntagnachmittag in der Berliner Wohnung meiner Großeltern ankomme, sitzt meine Großmutter in ihrem Arbeitszimmer am Schreibtisch, vor ihr steht ein aufgeklappter Laptop, drum herum sind Bücher, Papiere, Briefe verteilt. Sie arbeitet. In den Regalen lehnen Familienfotos an den Buchrücken, liegen kleine Reiseandenken. Das Zimmer meines Großvaters ist am anderen Ende der Wohnung, wenn die beiden miteinander sprechen möchten, müssen sie den anderen besuchen gehen. Auf seinem Schreibtisch steht eine elektrische Schreibmaschine, er ist von Kunst umgeben, Werke der von ihm verehrten Maler Albert Ebert und Carlfriedrich Claus hängen an den Wänden. Auf dem Telefontischchen im Flur liegt das Manuskript des nächsten Buches meiner Großmutter, Stadt der Engel, *an dem sie schon seit Jahren schreibt und das sie nun bald zu Ende bringen will.*

JS Opa, hast du schon Omas neues Manuskript gelesen?

GW Noch nicht ganz. Ich lese wieder zu genau, Seite für Seite. Man müsste erst einmal alles im Zusammenhang überfliegen, aber das fällt mir schwer. Ich gliedere schon ein bisschen und mache Zwischenüberschriften.

CW Ich will keine Zwischenüberschriften!

GW Eine Art Gliederung muss es aber geben.

Die beiden brechen das Thema ab. Es ist klar, sie werden später weiter darüber diskutieren. Am Ende gibt es in Stadt der Engel *keine Zwischenüberschriften. Wir gehen ins Wohnzimmer. Ich setze mich auf das Sofa, mein Bauch ist gewachsen. Ich bin inzwischen im fünften Monat schwanger.*

JS Wie war das, als ihr Kinder bekamt, wusstet ihr vorher, wie ihr sie erziehen und wie ihr die Arbeit untereinander aufteilen wollt?

CW Darüber habe ich auch nachgedacht, nachdem du jetzt ein Baby erwartest. Es hat sich viel verändert. Als sich 1952 Annette ankündigte, studierten Gerd und ich noch. Damals gab es nur ganz wenige Studentinnen mit Kindern. Es gab auch keine Kindergärten oder Kinderkrippen. Ich war ein Einzelfall, aber ich wollte von Anfang an Kinder haben. Das war selbstverständlich.

GW Wir taten auch nichts, um zu verhüten.

CW Wir hatten überhaupt kein Geld, jeder bekam 120 Mark Studienbeihilfe. Davon konnte man weder leben noch ein Kind großziehen. Kindergeld gab es natürlich auch nicht.

GW Wir überlegten, was machen wir jetzt. Einer musste Geld verdienen, da bot sich die Stelle als Hilfsredakteur beim Rundfunk in Leipzig an. Ich versuchte weiter zu studieren, aber das ging nicht. Christa konnte weitermachen.

JS Das war zwischen euch völlig klar?

CW Das hat sich so entwickelt. Es war klar, einer muss das Geld verdienen. Wir waren ein Sonderfall. Welcher Mann macht so etwas schon? Gerd unterbrach sein Studium, und ich konnte weiterstudieren, mit Babybauch.

GW Christa war dann sehr überlastet mit Kind und Studium.

CW Und Gerd musste nach Berlin, vorher heirateten wir noch im Juli 1951.

JS Gab es Druck von euren Familien, dass ihr heiraten müsstet?

CW Letztendlich schon. Wenn man nicht verheiratet war, bekam man auch keine Wohnung. In Leipzig wurden uns dann zwei leere Zimmer in einer Wohnung mit Küchennutzung zugewiesen.

GW Die Küche teilten wir uns mit einer anderen Familie. Papierwindeln gab es überhaupt noch nicht, die Stoffwindeln mussten wir in der Küche auf dem Herd auskochen, und manchmal kochte der Topf über.

CW Es gab auch ein Bad, aber wir konnten die Badewanne nicht benutzen, wir hatten keine Kohlen für den Badeofen. Das Wasser fürs Baby mussten wir auf dem Herd warm machen.

GW Die Möbel stoppelten wir zusammen. Von unseren Eltern hatten wir eine furchtbar alte Schlafzimmereinrichtung bekommen. Das Schlafzimmer war auch nicht beheizbar, es war ein eiskalter Kristallpalast.

CW Gerd war beim ersten Kind, Annette, auch nicht der Typ, der das Baby windelte. Er kam gar nicht dazu.

GW Das hat man damals, 1952, noch nicht gemacht. Man ging als Mann auch nicht mit zur Geburt. Als der Anruf kam, dass das Kind geboren worden war, saß ich beim Rundfunk bei der Arbeit. Meine Kollegen ließen mich hochleben.

CW Gerd kam ins Krankenhaus, schaute sich das Baby an und sagte: »Sieht aber ulkig aus!« Die Hebamme ist fast ausgeflippt: »Das ist das schönste Baby der Klinik!«

Ein großer Fortschritt war damals, dass die Babys tagsüber im Bettchen neben ihren Müttern liegen konnten. Aber in meinem Zimmer lagen fünf Frauen, und alle Babys brüllten gleichzeitig. Das war nicht ideal.

GW Christa hat dann gleich weiterstudiert. Wir hatten ein nettes Mädchen, das sauber machte und Annettchen betreute, wenn Christa studieren musste.

CW Ich musste beweisen, dass ich es trotz Schwangerschaft und als Mutter schaffte zu studieren. Ich hielt ein Referat über das *Fräulein von Sternheim* mit einem riesigen dicken Bauch, der war viel größer als deiner jetzt. Danach durfte ich dann in das Oberseminar von Hans Mayer. Als Annette da war, stillte ich sie ein halbes Jahr lang. Ich wollte aber auch unbedingt zum gleichen Zeitpunkt wie die anderen mein Examen ablegen, nicht etwa ein Semester später. Ich wollte auch nicht irgendein Examen machen, es sollte schon sehr gut sein. Deshalb lernte ich manchmal bis nachts um zwei oder drei für die Prüfungen. Da habe ich mich das erste Mal überarbeitet. Ich war sehr ehrgeizig.

JS *(zu CW)* Es war für dich von Anfang an selbstverständlich, dass du keine Babypause machst, sondern das Studium fortführst?

CW Ja, das war ganz klar. Ich war natürlich sehr blauäugig, ich wusste ja nicht, wie anstrengend das werden würde. Nach dem Examen hatte ich Herzbeschwerden. Meine Mutter war eine phantastische Großmutter. In den Ferien musste ich Praktika machen, dorthin konnte ich Annette aber nicht mitnehmen. In Weimar wirkte ich einmal an der Goethe-und-Schiller-Ausstellung mit und machte dort Führungen. Annette war damals ein halbes Jahr alt, und meine Mutter nahm sie zu sich. Ich konnte nur alle 14 Tage zu ihr fahren und hatte wahnsinnige Sehnsucht nach meinem Baby. Das fand ich sehr hart, aber wo sollte das Kind hin?

GW Jedenfalls war Christas Mutter oft da. Der Schriftstellerverband übernahm 1953 das Schriftstellerheim in Petzow am Schwielowsee bei Potsdam, das leiteten dann Christas Eltern. Wenn wir verreisten, blieb Annettchen dort bei ihnen.

CW Es war sehr wichtig, die Großeltern im Hintergrund zu haben. Als Tinka geboren wurde, hatte Annette Keuchhusten. Da blieb sie bei ihnen und nicht in unserer Familie. Das war nicht gut, ließ sich aber nicht ändern.

JS Wenn man heute schwanger ist, bekommt man ständig Ratschläge. Viele reagieren entsetzt, wenn ich sage, dass ich weiterarbeiten will. Man gilt fast als Rabenmutter, wenn man nach der Geburt seines Kindes noch seinen Beruf ausüben mag. Wie war das bei euch, oder herrschte da schon das sozialistische Frauenbild vor?

CW Das fing erst an, sich zu entwickeln. Es gab das sozialistische Menschenbild: Mann und Frau sollten gleichberechtigt leben und arbeiten können. Man hatte aber nicht darüber nachgedacht, wie die Frauen das anstellen sollten. Es gab keinerlei Voraussetzungen dafür: keine Kindergärten, keine Waschmaschinen, keine Babynahrung, keine Pampers. Aber dass man als Frau weiterarbeitete, war selbstverständlich, darüber wurde nicht diskutiert. Man sorgte dafür, dass Frauen nach einer gewissen Zeit wieder in ihren Beruf zurückkehren konnten. Sie wurden auch gebraucht.

GW Als wir Eltern wurden, herrschte Aufbaustimmung. Überall wurden Leute gesucht. Ich kam sofort beim Rundfunk unter, obwohl ich nur vier Semester studiert hatte.

JS Ihr hattet das tolle Gefühl, gebraucht zu werden!

CW/GW Absolut!

GW Mit meinen vier Semestern Germanistik und den Georg-Lukács-Theorien war ich der Star beim Rundfunk. Wir schrieben die ersten Kritiken, Christa wurde in der *Neuen deutschen Literatur* publiziert. Mir wurde gesagt, mit meinem Start könne ich doch die ganze Literaturkritik übernehmen. So wurde man angesehen. Nach einem halben Jahr wurde ich Redakteur, und nach einem Jahr war ich schon Redaktionsleiter. Dadurch bekam man Rückenwind und Selbstbewusstsein.

JS Eigentlich wart ihr beide einmal Journalisten.

GW Ich ja.

CW Nicht ganz.

GW Journalist ist vielleicht nicht das richtige Wort. Ich war Literaturredakteur, wollte Literatursendungen machen, Kritiken schreiben.

CW Wenn ich jetzt zurückdenke, hatten wir das Gefühl, unsere Generation wird diese neue Gesellschaft aufbauen. Dafür werden wir gebraucht. Wir wissen, was wir wollen, und wir schaffen das. Wenn man heute Gedichte oder Lieder aus dieser Zeit liest, schlägt einem dieser merkwürdige Optimismus entgegen, über den man jetzt manchmal nur mit den Schultern zucken kann. Es war wenig reflektiert – eben: Bau auf! Bau auf!

JS Hat sich durch die Geburt des Kindes eure Beziehung verändert?

CW Wir waren auf einmal getrennt, weil Gerd dann in Berlin arbeitete und wir eine Wochenend-Ehe führten.

GW Heute würde man das vielleicht als Konfliktsituation ansehen, die es damals in dem Sinne aber nicht war. Ich war froh, dass ich durchstarten konnte, und Christa war froh, dass sie an der Universität bleiben konnte.

CW Mir war klar, dass wir uns zusammen in Berlin niederlassen wollten. Das war nicht so einfach. Nach Berlin kam man nur, wenn man einen Arbeitsplatz nachweisen konnte, und einen Arbeitsplatz kriegte man nur, wenn man eine Wohnungszuweisung bekam.

GW Zuerst hatten wir ein winziges Zimmer in Köpenick.

Nach dem Studium kriegte Christa die Stelle im Schriftstellerverband, da war Annette bei Christas Mutter, und wir bemühten uns um eine Wohnung.

JS Die DDR-Doktrin war doch, dass Kinder möglichst früh fremd betreut werden sollten.

CW Zu der Zeit noch nicht.

GW Für Annette hatten wir Kindermädchen, später Tante Grete, die dann in den Westen ging, und wir saßen nun da. Als ich beim Rundfunk angestellt war, hatte ich ein striktes Verbot, in den Westen zu fahren. Aber Tante Grete fuhr mit Annettchen auf den Westberliner Funkturm.

JS Ihr seid nie gefahren?

CW Es gab die S-Bahnen von der Friedrichstraße aus, die rauschten nach Potsdam durch, ohne in Westberlin zu halten. Die wurden die »Bonzenschleudern« genannt. Die nahmen wir, wenn wir zu meinen Eltern nach Petzow fuhren.

GW Einmal kaufte ich mir drüben ein paar Cordhosen. Ich las auch die Westpresse. Wir Rundfunkredakteure vom Deutschlandsender wurden im Westen stark kontrolliert, einmal musste unser Zug an der innerdeutschen bayerischen Grenze lange warten, weil die Grenzer noch in unsere Tonbänder mit den Autoreninterviews reinhörten.

JS Noch einmal zurück zur Kindererziehung, habt ihr euch nun darüber Gedanken gemacht?

CW Mein lieber Mann sagte immer: »Wachsen lassen!« Das war sein Erziehungsgrundsatz. Ich hätte dem zugestimmt, war aber von meiner Natur und meiner eigenen Erziehung her gewohnt, etwas stärker einzugreifen. Ich war ängstlicher, habe mehr Grenzen gesetzt, damit nichts passiert. Annette wirft mir heute noch vor, dass sie viel zu brav war, während Tinka gar nicht daran dachte, brav zu sein.

GW Bei Annette waren auch wir noch brav. Als Tinka 1956 geboren wurde, waren wir schon ganz andere Leute. Vier Jahre machen einen großen Unterschied.

JS Spielten in eurer Kindheit Schläge noch eine Rolle?

GW Während der Nazizeit gab es in der Schule »Handschmitzchen«, ein Lehrer schlug mit einem dünnen Rohrstöckchen auf die Handflächen. Das tat ein bisschen weh.

CW Bei mir gab es das überhaupt nicht. Bei meinem Bruder wurde in der Schule noch geprügelt. Zu Hause gar nicht. Mein Vater war sehr gutmütig, sehr weich. Er konnte gar nicht erziehen. Meine Mutter war viel strenger. Sie hatte genauere Vorstellungen davon, wie man sich zu verhalten hat. Dass ich länger abends wegblieb, das gab es nicht. Als ich 15 war, mussten wir aus unserer Heimatstadt fliehen, dadurch geriet alles so durcheinander, dass man nicht mehr von Erziehung reden konnte. Im Gegenteil. Ich kümmerte mich um meine Eltern. Später besorgte ich ihnen diesen Posten als Leiter im Schriftstellerheim. Sie waren völlig wurzellos. Heute tut mir das leid, ich glaube, ich habe ihnen nicht genügend gezeigt, dass ich verstand, wie sehr sie unter dieser Wurzellosigkeit litten.

GW Man sah es als einen gerechten Verlust an, dass Deutschland nach diesem Krieg diese Gebiete verloren hatte.

CW Ich habe diese Trauer in mir und das Heimweh nach Landsberg immer unterdrückt, weil das nicht sein durfte. Weil die Deutschen Schuld trugen am Krieg und dafür büßen mussten. Dass es nun gerade uns traf, war Pech. Eines Tages erwachte ich mit 15 in einer völlig neuen Umgebung, in einem mecklenburgischen Bauernhaus, die Russen hatten uns ausgeraubt, und ich trug nur noch einen Schlafanzug am Leib. Den anderen Flüchtlingen ging es genauso. Es gab viele, die nichts hatten. Das war ein ganz anderes Aufwachsen als heute.

GW Ich war, wie gesagt, in die Partei eingetreten, um meinem Vater eins auszuwischen, der zuvor in der NSDAP gewesen war. Daher rührte später auch die Zuneigung zu Menschen wie den Fürnbergs. Das waren die Art Eltern, die wir uns wünschten – die Antifaschisten.

CW Im Grunde waren sie Elternersatz oder Wahleltern.

JS Als 1979 mein Bruder Benni geboren wurde, machten sich Annette und Honza sehr viele Gedanken über ihren Erziehungsstil. Sie lasen Bücher über das Internat Summerhill[114] in Großbritannien, über antiautoritäre Erziehung. Ab und zu warf auch ich einen Blick in sie hinein. Von der Summerhill-Schule war ich begeistert. Eine Schule, in die die Schüler freiwillig gingen und in der sie selbst bestimmten, was sie lernen wollten, das klang für mich in der DDR absolut utopisch, aber sehr verführerisch.

CW Erst da beschäftigten auch wir uns damit.

GW Über Erziehungsfragen diskutierten wir kaum. Die Bücher des sowjetischen Pädagogen Makarenko[115] hatten wir gelesen, aber die betrafen uns nicht.

CW Einmal, 1950, machte ich ein Praktikum in einem Erziehungsheim für Kinder, die gescheitert oder gestrandet waren, manche hatten auch Straftaten begangen. Sie waren richtig verwahrlost. Der Heimleiter wandte üble Erziehungsmethoden an, stellte einzelne Kinder vor der ganzen Mannschaft bloß. Gegen diese Erziehungsmethoden rebellierte ich. Ich weiß nicht, woher, aber ich wusste, dass man auf diese Art und Weise nicht erziehen darf. Außerdem war ich als Nichtverwahrloste vor den Kopf geschlagen, wie sich die 15-, 16-jährigen Mädchen dort in den Ecken des Kellers mit gleichaltrigen Jungs herumdrückten. Das fand ich degoutant. In dem Heim gab es auch eine Schule, in der die Schüler Diktate schrieben, in denen nicht ein einziges Wort richtig war.

JS In den DDR-Schulen verhielten sich die Lehrer zum Teil auch furchtbar autoritär, spielten ihre Macht aus.

CW Wenn Annette und Tinka in der Schule Konflikte hatten, unterstützten wir sie immer. Wir saßen in diesen Elternbeiräten. Das war oft ätzend.

Mein Großvater verlässt das Zimmer und verschwindet in der Küche, er bereitet das Abendessen zu. Meine Großmutter bleibt sitzen, leise singt sie: »Und wer entflieht, ist schlecht«. »Es leben die Soldaten«, ein altes Volkslied.

JS Das Frauenbild in der DDR war, dass Frauen arbeiten und Kinder haben. Das galt als absolut selbstverständlich. Heute ist das anders. Ich merke es daran, wenn ich Freunde aus dem Westen frage, was ihre Mütter arbeiten, die Antwort lautet ganz oft: Hausfrau. Das kenne ich aus meiner Kindheit nicht, und wenn, war das eher ein Schimpfwort.

CW Das stimmt. Hausfrau klang ein bisschen piefig, nach jemandem, der seine Anlagen nicht ausschöpfte.

JS Hattest du stets das Gefühl, dass du als Frau unterstützt und gefördert wurdest, dass man deine Meinung hören wollte?

CW Es war ein wenig zwiespältig. Einerseits gehörte ich zu einer Generation, in der es noch nicht viele ausgebildete Frauen gab, die leitende Stellungen übernehmen konnten. So dass ich sehr oft die einzige Frau in einem Gremium oder in einem Vorstand war. Vorher hatte man immer überlegt: Mann, hier ist gar keine Frau! Wen nehmen wir denn da? Ach, die Christa Wolf! Das habe ich auch bewusst ausgenutzt, die Genossen durften mich als Frau nicht herabsetzen, obwohl sie das manchmal gern gemacht hätten. Die Partei verbot das. Sie mussten froh sein, dass überhaupt eine Frau da war, und mussten die auch fördern. Insofern hatte ich persönlich nicht das Gefühl, benachteiligt zu sein. Andererseits trug ich natürlich über längere Zeit die typische Doppelbelastung als Schriftstellerin und Mutter. Als ich Redakteurin bei der *Neuen deutschen Literatur* war, kam ein alter Genosse, ein alter Antifaschist, und sagte zu mir, er brauche eine Cheflektorin im Verlag Neues Leben. Das sollte ich sein. Ich war 26 und zweifelte daran, dass ich diesen Posten schon übernehmen könnte. Da hieß es: Na hör mal zu, du als Frau musst das jetzt machen! Also habe ich es gemacht, merkte aber schnell, dass ich überfordert war. Ich konnte Bücher lektorieren, aber ich schaffte es nicht, den ganzen Verwaltungsapparat zu führen und auch noch die Mitarbeiter anzuleiten. Dann kündigte sich zum Glück Tinka an, und ich sagte, das schaffe ich nicht – zwei Kinder und diesen Posten. Ich warf nach verhältnismäßig kurzer Zeit hin.

JS War dir bewusst, dass du eine Ausnahme warst, als einzige Frau, die für solche Posten in Frage kam?

CW Damals war ich noch eine Ausnahme. Die Frauen aus meinem Studienjahr wurden alle Assistentinnen an der Universität. Auf dem Gebiet der Kulturpolitik gab es nicht so viele. Hans Mayer hatte auch mir angeboten, nach meinem Staatsexamen als Assistentin zu bleiben und meinen Doktor zu machen. Das wollte ich aber nicht. Mir war klar, dass ich nicht als Wissenschaftlerin arbeiten wollte. Die Germanistik hatte angefangen, mich zu langweilen. Ich fragte mich, was soll ich eigentlich mein Leben lang über andere Bücher und Schriftsteller schreiben? Nach zwei Jahren Studium geriet ich in eine richtige Krise. Ich dachte, das ist doch kein Beruf. Ich hatte schon die Idee, aufzuhören und Psychologie zu studieren. Das interessierte mich. Auf alle Fälle hatte ich vor, einen lebendigen Umgang mit der Literatur und mit den Autoren zu pflegen. Damals war ich selbst ja noch keine Schriftstellerin. Wenn ich schon Kritiken schreiben würde, dann wollte ich auch die Autoren kennenlernen. Das bot die Stelle im Schriftstellerverband. Anfang der sechziger Jahre wurde ich freischaffend, da war es auch mit den Kindern nicht mehr so schwierig. In Halle brachte ich Tinka zum Kindergarten. Wenn Mann und Frau zu Hause arbeiten, lassen sich intensive Berufstätigkeit, gesellschaftliche Arbeit und Versammlungen eher mit Kindern vereinbaren. Auch wenn wir oft unterwegs waren.

JS Das ist ein bisschen wie bei uns. Frank und ich arbeiten auch von zu Hause aus.

CW Ja, daran muss ich oft denken. Obwohl ihr beide auch sehr eingespannt seid, besonders durch das viele Reisen, werdet ihr dennoch wahrscheinlich leichter mit der neuen Situation umgehen können.

JS Zu Hause kann man sich die Zeit mit einem Kind besser einteilen, als wenn man jeden Tag von neun bis 17 Uhr in ein Büro gehen muss.

CW Du musst dein Kind nirgendwo hingeben, wo es nicht wirklich gut betreut wird.

JS Fühltest du dich immer als emanzipierte Frau?

CW Ich weiß nicht genau, wann das Wort emanzipiert in meinen Wortschatz gelangte. Wenn du so willst, empfand ich mich als mitten im Leben stehend. Emanzipiert insofern, wenn ich mich mit der Generation meiner Eltern vergleiche. Wobei meine Mutter mir ein bestimmtes Frauenbild vorlebte. Sie war Geschäftsfrau, voll berufstätig, besonders im Krieg. Der Hauptkummer meiner Kindheit war, dass meine Mutter so wenig für uns da war. Nur wenn eine Katastrophe ausbrach, erschien sie. Als mein Bruder zum Beispiel die Hand auf die heiße Herdplatte gelegt hatte. Nie wurde mir vermittelt, dass man als Frau zu Hause hocken und Strümpfe stopfen sollte. Im Grunde war meine Mutter stärker als mein Vater. Das hat sich mir mit der Luft eingeflößt. Bei Gerd und mir war es ganz selbstverständlich. Er wäre nie auf die Idee gekommen zu sagen, nun bleib du mal zu Hause. Es wurden immer Wege gesucht, dass beide arbeiten konnten oder eben abwechselnd. Als ich zu Ende studiert hatte, arbeitete ich und verdiente das Geld, und Gerd konnte in Berlin zu Ende studieren. Das war vollkommen selbstverständlich. Gerd vertrat überhaupt nicht die Meinung, dass er eher berufstätig zu sein hatte und ich zurückstecken sollte.

JS Opa war ein moderner Mann!

CW Ja. Als ich anfing zu schreiben und Bücher herausbrachte, war klar, dass ich das weiterzumachen hatte.

JS Du hast oft auch mehr Geld verdient als er.

CW Ja, natürlich. Das war nie ein Problem. Ich meine, er hat immer sehr viel gearbeitet, aber weniger Geld dafür bekommen. Wenn man als Schriftsteller Glück hat und sich die Bücher gut verkaufen, kriegt man für die gleiche Arbeit einfach mehr Geld. Wir waren doch heilfroh, ab dem *Geteilten Himmel* Anfang der sechziger Jahre hatten wir als Familie eigentlich keine Geldprobleme mehr.

JS Ihr habt stets beide geschrieben. War es je ein Problem, dass du mehr Erfolg hattest?

CW Es ist wirklich erstaunlich, aber dein Opa hat offenbar kein Problem mit Konkurrenz. Er ist nicht wie zum

Beispiel Max Frisch, der es nicht ertrug, mit Ingeborg Bachmann zusammenzuleben. Gerd hatte von Anfang an ein gesundes Selbstbewusstsein, so dass er sich nicht benachteiligt fühlte oder weniger wert, wenn er weniger äußeren Erfolg hatte. Das ist bis heute so. Er macht die tollsten Sachen, steht aber oft in meinem Schatten, und zwar völlig unverdient. Manchmal ist das für mich eher ein Problem als für ihn. Sein Verlag Janus press[116], den er nach dem Mauerfall gegründet hat, wird meiner Meinung nach nicht genügend geschätzt. So ist es ihm eigentlich immer gegangen. Er hat stets dazu beigetragen, dass ich arbeiten konnte, und hat meine Manuskripte stark mitbeeinflusst und lektoriert. Das ist eine ideale Verbindung. Ich glaube, wenn eine Ehe so lange gutgeht, hat das auch damit zu tun, dass man sich gegenseitig etwas geben kann. Das war und ist bei uns ideal. Wir ergänzen uns.

JS Was hast du ihm gegeben?

CW In den frühen Jahren sind sehr viele Menschen, sehr viele Freundschaften durch mich in unser Leben gelangt. Heute kommen durch Gerds Verlag besonders viele Maler neu in unseren Freundeskreis. Das ist Gerds großes Talent, er erkennt Talente und fördert sie. Er braucht ein Buch nur anzulesen und weiß, ob jemand begabt ist. Ich stolpere so durch und weiß es am Ende immer noch nicht genau.

JS Was hat er dir gegeben?

CW Das ganze große Gebiet der bildenden Kunst hat er mir erschlossen. Darin war ich ein Analphabet, als wir uns kennenlernten. Erst durch ihn entwickelte auch ich ein Bedürfnis, Kunst zu sehen und mich damit zu umgeben.

Und die Lyrik hat er mir eröffnet. Das ist heute noch so. Wir sitzen beim Frühstück, er sagt einen Satz, und gleich überlegt er, aus welchem Gedicht er stammt, dann zieht er sofort los zum Bücherregal und holt den Brecht. Er sucht so lange, bis er den Satz findet. Oder Thomas Brasch, den liebt und verehrt er sehr. Ich entsinne mich an so viele Stunden, in denen er Verse vorgelesen hat. Vor allem durch ihn umgibt mich eine Atmosphäre von Literatur und Malerei. Er wird dieses Jahr achtzig Jahre alt, und ich schreibe für ihn gerade ein Tagebuch, was er in diesem Jahr alles macht. Dabei merke ich, wer wie viel vorkommt, welche Namen fallen und an welche Menschen er sich erinnert. Es ist ein ganzes Geflecht, auf dem unser Leben ruht. Ich könnte mir ein Leben ohne diesen literarisch-künstlerischen Hintergrund gar nicht vorstellen. Und das Zweite sind natürlich die Kinder.

JS Gab es einmal eine Zeit, in der eure Beziehung bedroht war?

CW Nein. In den ganzen 57 Jahren unserer Ehe stand nie die Frage, ob wir einmal auseinandergehen. Es gab sicher Zeiten, die weniger intensiv waren als andere. Aber eigentlich wurde es immer intensiver. Besonders in der DDR-Zeit war ich in große Konflikte verwickelt, und ich weiß nicht, wie ich sie allein hätte bewältigen können. Das hätte ich nicht geschafft. Ich war manchmal sehr krank, befand mich in schlimmsten Zuständen. Ich weiß nicht, was passiert wäre, wenn da nicht einer gewesen wäre, auf den ich mich völlig verlassen konnte und der auch ein guter Maßstab für moralische Fragen war – dafür, was man machen kann und was nicht. Während ich manchmal dachte, ich muss bestimmte Sachen machen, weil ich der DDR nicht schaden wollte. Von ihm kam immer die Gegenbewegung. Gerd ist nicht zu kaufen.

JS Vielleicht gibt es auch einen Punkt in einer Beziehung, ab dem man gar nicht mehr auseinandergehen kann, weil man so viel gemeinsam erlebt und gemacht hat.

CW Im Grunde ist es eine Symbiose. Wenn heute einer etwas über mich wissen will, über eine bestimmte Zeit oder über eine Veröffentlichung, schicke ich ihn zu Gerd.

JS In meiner Generation gibt es wenige Paare in meinem Umfeld, die lange zusammen sind. Wenn ich sage, dass ich schon seit 16 Jahren mit Frank zusammenlebe, kommt stets die Rückfrage: »Wie alt bist du denn?« Viele denken dann, ich bin schon seit dem Kindergarten mit ihm liiert. Ich war 19, Frank 20. Normalerweise geht einer da studieren und der andere dort. Wir sind überallhin gemeinsam gegangen – nach London zum Studium oder nach Moskau zum Praktikum. Man merkt aber, man ist die große Ausnahme und wird bestaunt. Ich frage mich manchmal, woran das liegt. Vielleicht kommt es daher, dass es heute mehr Möglichkeiten gibt oder dass man sich insgesamt schneller von Dingen und Menschen ab- und sich Neuem zuwendet.

CW Eure Generation erscheint mir manchmal, auch in ihrer Literatur, etwas bindungsschwach. Da gibt es eine gewisse Scheu, Verantwortung zu übernehmen. Vielleicht hängt damit auch die Kinderarmut zusammen. Wenn ein Kind da wäre, müsste man Verantwortung für ein Leben übernehmen, sich sorgen.

Mein Großvater ruft zum Essen. Wir ziehen in die Küche um. Es gibt eine Leberknödelsuppe, eine Spezialität meines Großvaters. Er ist ein wunderbarer Koch. Wir reden beim Abendbrot weiter.

JS Ich bin 35. Ihr habt damals viel früher Kinder gekriegt. Und eure Tochter Annette hat mich sogar schon mit 20 bekommen.

CW Ich kann mich nicht erinnern, dass uns das irgendwie geschockt hätte.

GW Sie wollte es auch unbedingt.

Wir essen schweigend. Es schmeckt wie immer sehr gut.

CW Wenn Frank unterwegs ist und du allein bist, kochst du dir dann eigentlich irgendwas?

JS Nö. Ich gehe draußen essen mit Freunden.

CW Aber einmal am Tag was Warmes ist schön!

JS Ihr hattet auch immer jemanden, der euch im Haushalt geholfen hat!

CW Zeitweise nur mittwochs. Als wir in Halle wohnten, hatten wir eine Frau, die kam vier Tage in der Woche und hat auch gekocht. Damals konnten wir selbst noch nicht gut kochen.

JS Da wart ihr sicher die Ausnahme. Ich dachte, Hauspersonal sei mit der DDR-Politik nicht vereinbar gewesen.

GW Doch. Wir hatten für Annette Tante Grete und immer wieder Kinderfrauen, sie schliefen zum Teil auch bei uns. Sie waren richtig angestellt und bekamen volle Verpflegung.

JS Ihr habt alle Kinder und Enkel während der Ausbildung unterstützt. Habt ihr von euren Eltern auch Geld bekommen?

CW Die hatten nichts.

GW Wenn sie welches gehabt hätten, hätten sie uns vermutlich etwas gegeben. Weil wir keine Arbeiterkinder waren, bekamen wir im Studium auch kein Stipendium, sondern nur Studienbeihilfe und eine Leistungszulage, wenn wir sehr gut waren. Das war nicht viel. Ich habe auch mal Gemüse geklaut. Als ich beim Rundfunk anfing, kauften wir uns das erste Radio.

CW Und als ich einen kleinen Literaturpreis bekam, kauften wir den ersten Teppich.

JS Lustig, ich habe mir von dem Geld eines Journalistenpreises einmal ein Sofa gekauft.

GW Den Schreibtisch in meinem Arbeitszimmer haben wir bei Hellerau gefunden. Dort gab es relativ schöne Möbel. Tinka amüsiert sich immer darüber, dass wir diese ollen Schränkchen noch haben. Annette vermachten wir den runden Eckschrank.

JS Ach, den habe ich jetzt, der steht in unserem Gästezimmer. Das ist ein richtiges Familienstück!

GW Als wir anfingen, für den Film zu arbeiten, verdienten wir zum ersten Mal richtig Geld.

CW *(zu JS)* Wie geht es denn deinen Filmprojekten[117]?

JS Ich sage lieber nichts mehr. Ich hoffe, dass ich die Premieren noch erleben werde.

CW Damals kam auch nicht jeder Stoff in die Produktion.

GW Aber wenn wir ein Szenarium geschrieben hatten, wurde das anständig bezahlt, 10 000 Mark auf die Hand …

CW … da war praktisch der Trabant drin.

GW Als ich den Führerschein machte, meinte der Fahrlehrer zu mir: »Sie können wohl rechts und links nicht voneinander unterscheiden. Waren Sie nicht bei der Wehrmacht?« Da hielt ich am Straßenrand an und verabschiedete mich.

JS Du bist früher auch Auto gefahren, Oma. Daran kann ich mich noch erinnern.

GW Christa ist kurz nach ihrer Fahrprüfung in Werder rückwärts in eine Einbahnstraße gefahren und riss dabei ein Bäumchen um. Dummerweise stand der Bürgermeister von Werder daneben. Wir hörten nie wieder von ihm.

JS Meine Mutter ist einmal in einen Garten gefahren und fast im Swimmingpool gelandet.

CW Annette ist auch nicht der Autofahrtyp.

GW Christa ist viel mit unserem ersten Trabantchen gefahren, den wir 1960 bekamen. Wenn man mit dem über hundert fuhr, blieb er stehen, dann musste man ranfahren, warten, dass er abkühlte, und erst danach konnte man weiter.

JS Musstest ihr zehn Jahre auf einen Trabant warten?

CW Nicht ganz. Über den Schriftstellerverband ging es etwas schneller.

JS War es euch wichtig, Geld zu haben?

CW/GW Nee!

CW Das spielte gar keine Rolle. Hauptsache, man konnte leben.

GW In Halle hatten wir das erste Mal Geld auf einem Konto. Ich kam einmal nach Hause und sagte: »Mensch, wir haben 3000 Mark auf der Bank!« Die gingen auch nicht einfach so weg.

JS Wir können gar nichts sparen. Wir geben immer alles aus.

CW Wieso gebt ihr so viel aus?

JS Wir haben hohe Festkosten: Mieten, Versicherungen, Steuer, das Büro am Laufen halten. Wir gehen viel essen, verreisen oft.

CW Und wollt ihr das ändern?

JS Viel ändern können wir nicht. Wir leiden auch keine Not. Von den Filmhonoraren kann man ein bisschen was ansparen. Das ist eher für die Rente. Weil wir wohl kaum noch eine kriegen werden.

CW Das müsst ihr auch machen!

GW Wenn bei uns damals jemand gesagt hätte, dass er an seine Rente denkt, hätten wir laut gelacht. Genauso wie am Anfang niemand ein Haus haben wollte, das war Besitz …

CW … das fand man ausgesprochen piefig, kleinbürgerlich. Wir waren ja Sozialisten.

JS Warum habt ihr dann später eins gekauft?

CW Der erste Bungalow in Prieros flog uns sozusagen zu. Den hatte uns die Schriftstellerin Alex Wedding[118] vermacht. Wir wollten raus aus Berlin, um ein bisschen Ruhe zu haben.

GW Später bin ich ein ganzes Jahr herumgefahren, um etwas zu finden. Ich sah riesige Bauernhöfe oder richtige Bruchbuden, und dann kam das Haus in Neu-Meteln.

JS Eigentum galt nicht mehr als verwerflich?

CW Es gab eine Bewegung – die Datschen. In den siebziger Jahren wollten viele aus der Stadt raus.

JS Um aus dem politischen Schussfeld zu kommen?

CW Das dachte man. Unsere Stasi-Akten sagen etwas anderes.

JS In der DDR zog man sich in die Datschen zurück, im Westen machten die 68er Revolution. Wie habt ihr die gesehen?

GW Einmal liefen wir 1968 zusammen mit dem SDS-Vorsitzenden KD Wolff[119] bei einer Anti-Vietnamkriegs-Demo mit. Wir übernachteten bei ihm in Frankfurt. Die Universität war besetzt, und es wurden Reden gehalten. Die schrien alle aufeinander ein. Wir fanden das furchtbar chaotisch.

JS Konntet ihr diesen Protest verstehen?

CW Doch.

GW Dass sie dachten, sie machten Revolution, konnte man nicht richtig ernst nehmen. Vor der Vietnamdemo hatten sich die Demonstranten zerstritten. Es gab dann zwei Demos. Die Bauarbeiter standen am Straßenrand und zeigten den Demonstranten den Vogel, und die riefen »Ho, Ho, Ho Chi Minh!« Das war für uns marxistisch Gebildete schwer zu verstehen.

CW Ich war richtig geschockt, als ich hörte, dass sie tatsächlich dachten, sie machten eine Revolution. Ich fragte noch: »Wie kommt ihr denn darauf?« Es gab keine Voraussetzungen dafür – weder ökonomischer Art, noch stand die Masse der Bevölkerung hinter ihnen.

JS War euch diese Bewegung nicht sehr fremd, es ging doch auch um freie Liebe und antiautoritäre Erziehung?

GW Wir fanden die Akteure furchtbar schlampig, bewunderten sie aber auch. Die aßen schon zum Frühstück drei verschiedene Sorten Joghurt. Donnerwetter!

Wir lachen.

CW Du, Jana, was du sagst, kam erst später zum Tragen. Davon bekamen wir damals noch nicht viel mit.

GW Der Feminismus spielte 1968 noch gar keine Rolle, erst als die Autorinnen ihre guten Bücher schrieben – Maxi Wander, Helga Königsdorf, Irmtraud Morgner.

JS Ist Alice Schwarzer für euch eine wichtige Figur?

GW Damals ist sie es sicher gewesen. Am Grab von Irmtraud Morgner haben Alice Schwarzer und ich die Reden gehalten. Jetzt tritt sie in den Talkrunden als die Feministin vom Dienst auf.

CW Gewiss war sie wichtig. Aber zu ihrer Zeitschrift *Emma* hatte ich kaum einen Bezugspunkt.

GW In der DDR erschien zu der Zeit gute Literatur von Frauen. Zum Beispiel eine Geschichte von Helga Königsdorf[120], darin stürzt die Hauptfigur ihren Mann den Balkon hinunter. Königsdorf war Mathematikerin, sie fing ein neues Leben an und begann zu schreiben.

CW Sie war eine von denen, die sich radikal äußerten.

GW Christa wurde später wegen *Kassandra* angegriffen. Den Hauptangriff führte der Leiter der Zeitschrift *Sinn und Form*, ein wüster Ideologe. Er warf ihr vor, sie verschiebe die Klassenfrage zugunsten der Feminismusfrage …

CW … nicht nur verschiebe, sondern hebe sie auf. Der war sauer. Da konnte man immer auf August Bebel verweisen: *Die Frau und der Sozialismus*.

JS *(zu CW)* Würdest du dich als Feministin bezeichnen?

CW Nein, so habe ich mich nie bezeichnet. Feminismus war für mich wichtig, ich habe sehr viel davon aufgenommen. Aber in der DDR gab es keinen Feminismus. Ich hatte nicht das Gefühl, dass ich mich so bezeichnen könnte wie die Feministinnen im Westen.

JS Warum gab es keinen Feminismus in der DDR?

CW Neben der Partei durfte es keine andere politische Strömung geben.

GW Die soziale und ökonomische Gleichberechtigung von Mann und Frau war bei uns Staatsdoktrin. Im Westen nicht.

JS Aber wirkliche Gleichberechtigung gab es trotzdem nicht!

CW Nein, nein!

JS Heute existiert wieder eine Gegenbewegung junger

Frauen, die sich von Alice Schwarzers Feminismus emanzipieren wollen. Und im Osten arbeiten noch immer mehr Frauen als im Westen Deutschlands.

CW Ja, das zeigt die Statistik. Ich wundere mich darüber, dass sich so eine Tradition fortsetzt.

JS Was dir vorgelebt wird, prägt dich. Im Osten haben fast alle Frauen gearbeitet – auch die Mütter. Ich habe einmal ein Porträt über Eva Herman, die ehemalige Tagesschau-Sprecherin, geschrieben.[121] Sie hat Bücher darüber veröffentlicht, wie negativ sich die Berufstätigkeit der Mütter auf die Kinder auswirkt. Ich musste ihr sagen, dass ich es immer gut fand, dass meine Mutter arbeiten ging. Ich hatte Respekt vor dem, was sie machte, und dass sie ihr eigenes Leben führte und Geld verdiente. Das konnte Eva Herman nicht verstehen, es lag außerhalb ihres Weltbildes. Dabei war und ist sie selbst eine Karrierefrau. Ich finde es interessant, dass es heute diesen *Backlash*[122] gibt: Frauen zurück an den Herd!

CW Ich glaube, der Höhepunkt dieser Bewegung ist schon vorbei. Sehr komisch ist doch, dass Christa Müller, die jetzige Frau des Linken-Politikers Oskar Lafontaine, dieses alte Frauenbild lebt.

JS Trotzdem würden die wenigsten aus meiner Generation sich als Feministinnen bezeichnen. Das klingt nach Emanze, irgendwie freudlos.

CW Das wird als Ideologie angesehen.

GW Wir nahmen vor dem Mauerfall einmal an einem

Seminar über weibliches Schreiben in Graz teil. Dort traten richtige Klischee-Feministinnen in Latzhosen auf.

CW Auf einer Veranstaltung waren auch die Schriftsteller Elfriede Jelinek und Erich Fried[123] dabei. Wir saßen auf dem Podium, und neben mir hockte Fried. Eine Feministin aus dem Saal vertrat sehr kühne Thesen – Blödsinn. Da platzte Fried der Kragen, er schrie: »Sind Sie denn verrückt!« Da kam aus dem Saal eine Gegenwelle. Ich schaute mich um, wohin man eventuell flüchten könnte, falls das Podium gestürmt werden sollte. Fried war danach ganz geknickt. Er sagte: »Wie kann ich denn so was sagen? Ich bin doch kein Macho!« Ich: »Mensch, Erich, hör doch auf, du bist kein Macho. Du hast doch recht!« Er konnte sich nicht beruhigen, haderte noch den ganzen Abend mit sich, wie ihm so etwas passieren konnte.

GW Fried war übrigens unheimlich beliebt bei Frauen. Er ging schon am Stock, und noch immer suchten hübsche Frauen seine Nähe.

CW Wenn ich manchmal an meinem Durcheinander verzweifle, denke ich an Fried.

JS Marcel Reich-Ranicki sagte einmal, wenn eine Autorin Kinder bekäme, könne sie nicht mehr schreiben. Muss ich mir Sorgen machen?

CW Ja, das hat er einmal gesagt. Das ist Quatsch. Aber es gibt viele Schriftstellerinnen, die keine Kinder haben. Simone de Beauvoir meinte zum Beispiel, man könne nicht gleichzeitig Kinder haben und Schriftstellerin sein. Es gibt einen bestimmten Autorinnentyp, der sich absolut auf das

Schreiben konzentriert. Das habe ich nicht gemacht, das ist bestimmt auch ein Nachteil. Ich wollte dem Schreiben nicht mein ganzes Privatleben unterordnen. Dann wird aber auch das Schreiben nicht so absolut.

JS Meinst du?

GW Das ist eine andere Art von Existenz – ganz vom Schreiben besetzt sein wie Ingeborg Bachmann.

JS Als Jugendliche habe ich eine Zeitlang Simone de Beauvoir sehr bewundert, aber dann las ich eine Biographie über sie, in der beschrieben wurde, wie sie sich von Sartre demütigen und erniedrigen ließ[124]. Da verging meine Bewunderung schnell.

GW Sie war ganz auf diesen Mann fixiert.

Wir haben aufgegessen, schweigen einen Augenblick. Draußen ist es bereits dunkel.

GW *(zu CW)* Bist du müde? *Er wendet sich mir zu.* Ich habe noch vorzügliches Eis im Kühlschrank!

Mein Großvater holt eine große Packung Schokoeis aus dem Eisfach. Ich esse eine Portion.

JS In Prenzlauer Berg, wo ich wohne, sieht man jetzt überall diese Biomütter, die nur bestimmte Kleidung tragen, nur bestimmte Kinderwagenmarken herumschieben und natürlich nur im Biomarkt einkaufen. Man hat den Eindruck, die Kinder bestimmen vollkommen das Leben ihrer Eltern. Daneben existiert nichts mehr.

Außerdem gibt es einen Babyboom. Ich muss mein Kind schon als Schwangere für einen Kindergartenplatz anmelden, damit es in einem Jahr vielleicht einmal einen Platz bekommt. Und in manchen Kitas muss man putzen, kochen oder Essen mitbringen.

CW Oh Gott!

GW Ich sehe vor unserem Bioladen hier in Pankow auch viele junge Frauen mit ihren Kindern, die kaufen riesige Mengen ein. Ich staune immer, die müssen ihre Kinder aus den Wagen heben, um sie vollzuladen.

JS Weil viele heute so spät Kinder kriegen und manchmal nur eins, wird das Kind zum absoluten Lebensmittelpunkt.

CW Ich besitze nur ein Foto von mir aus der Schwangerschaft.

Auf dem Küchentisch liegt mein Handy, mein Großvater nimmt es in die Hand und betrachtet es. Meine Großeltern besitzen auch ein Mobiltelefon, mein Cousin hat es ihnen geschenkt.

GW *(zu JS)* Wie geht das an?

JS Habt ihr jemals euer Handy benutzt?

CW Zwei-, dreimal unterwegs. Es ist auch ein klobiges Ding. *(zu JS)* Du könntest ohne Handy doch gar nicht mehr leben!

GW Gibt es dazu eigentlich eine Anleitung, wie man was macht?

JS Ja, aber man lernt es sehr schnell und gewöhnt sich daran. Ihr braucht auch nicht wirklich ein Handy.

CW Nein, wenn uns jemand anrufen will, erreicht er uns in Berlin oder in Woserin. Nur im Auto habe ich ein Handy bei mir.

GW Aber das ist nie aufgeladen.

CW Doch, ich lade es vorher auf.

GW *(zu JS)* Wie oft musst du dein Handy aufladen?

JS Ziemlich oft. Ein Leben ohne Handy kann ich mir nicht mehr vorstellen und noch weniger eins ohne Internet. Wie ich einmal ohne Netz arbeiten und recherchieren konnte, ist mir ein Rätsel.

CW Dadurch wirst du richtig bequem, nutzt keine Bibliotheken und Archive mehr.

Mein Großvater verlässt die Küche, es ist spät geworden, und Technik ist kein Thema, das ihn begeistert.

JS *(zu CW)* Würdest du nicht manchmal gern das Internet nutzen?

CW Manchmal denke ich, ja. Aber E-Mails möchte ich nicht schreiben. Neulich habe ich zwei Männer getroffen, die erzählten, sie bekämen hundert E-Mails am Tag. Ich sagte: »Dann können Sie doch den ganzen Tag nichts anderes machen!« Das ist eben deren Arbeit. Sie meinten, sie könnten auch nicht verreisen, was sich da ansammelte, könnten sie gar nicht mehr aufholen. Und wenn sie einmal in den Urlaub fahren, gehen sie alle halbe Stunde an den Laptop und schauen, ob eine Mail da ist, und beantworten sie. Die beiden sagten, wenn man E-Mails empfange, werde erwartet, dass man sie noch am gleichen Tag beantworte. Sie haben nie Ruhe. Das ist doch furchtbar.

JS Man muss aufpassen, dass man sich nicht komplett von der Technik abhängig macht. Wir haben Wireless LAN zu Hause, sind eigentlich immer im Netz. Wenn ich am Computer sitze, schaue ich jede halbe Stunde in mein Mailaccount. Das wäre für euch zu viel Ablenkung. Man ist immer erreichbar. Manchmal ist es aber auch sehr bequem, es geht viel schneller. Ihr schreibt ja sogar noch Briefe!

CW Ich amüsiere mich über Leute, die mir über den Verlag Mails schreiben und davon ausgehen, dass ich auch maile. Die geben nur ihre E-Mail-Adressen an. Gerade bekam ich eine Einladung nach Prag, und nun weiß ich gar nicht, wie ich die beantworten soll.

JS Immerhin schreibst du schon auf dem Computer, im Gegensatz zu Opa mit seiner elektrischen Schreibmaschine!

CW Ja, das kann ich mir auch gar nicht mehr anders vorstellen. Ich sehe bei Gerd, wie er immer noch einmal und noch einmal alles abschreibt. Die sofortige Korrektur am Computer ist für mich unverzichtbar geworden. Früher habe ich ganze Bücher mit der Schreibmaschine geschrieben, da hatten wir ja nicht einmal eine elektrische. Das war schon eine Leistung!

JS Hast du auch mit der Hand geschrieben?

CW Am Anfang. Je mehr ich mich an den Computer gewöhne, desto weniger schreibe ich mit der Hand.

JS Als ich 1992 anfing zu studieren, gaben manche Studenten noch handgeschriebene Hausarbeiten ab. Nicht alle hatten einen Computer. Es ist verrückt, was innerhalb von 15 Jahren passiert ist.

CW Es ist unglaublich.

JS Mit fast achtzig Jahren muss es dir doch vorkommen, als ob die Jahre nach dem Mauerfall schnell und die Jahrzehnte davor langsam verlaufen sind.

CW Seit dem Mauerfall gibt es einen Schrumpfprozess der Zeit. Einerseits ist viel passiert, andererseits persönlich aber wenig. In der DDR war immer irgendetwas los, wozu ich mich stellen oder verhalten musste. Während ich heute die Ereignisse eher von außen wahrnehme. Ich schaue zu oder lasse sie an mir vorüberziehen. Ich muss nicht persönlich dauernd darauf reagieren. Das verkürzt die Zeit.

JS Ich stelle es mir manchmal schwierig für euch vor, bei den rasanten gesellschaftlichen und technischen Entwicklungen noch mitzuhalten.

CW Wenn wir keine Kinder und Enkel hätten, wäre es

noch schwieriger. Dann wäre man noch weiter abgehängt und außen vor.

Meine Großmutter steht auf und geht in Richtung Küchentür.

CW Ich finde, wir haben jetzt genug gequatscht!

Woserin, 18. Juli 2012

Das letzte Gespräch 2008 war nicht als letztes Gespräch zu dritt geplant. Wir hatten überhaupt nichts geplant. Wieder sind Jahre vergangen. Meine Tochter Nora ist inzwischen fast vier, ich habe geheiratet und fast ein Jahr lang in Los Angeles gelebt. Meine Großeltern arbeiteten viel. Meine Großmutter brachte Stadt der Engel, *das Manuskript, um das es so oft ging, noch zu Ende, es wurde 2010 veröffentlicht. In den vergangenen Jahren ging es ihr gesundheitlich immer schlechter. Für Gespräche blieb keine Zeit mehr und keine Kraft. Im Dezember 2011 ist meine Großmutter gestorben.*

Im Sommer 2012 fahren mein Großvater und ich das erste Mal nach ihrem Tod in das Woseriner Haus. Das Zimmer meiner Großmutter ist so, wie sie es ein Jahr zuvor verlassen hat. Ihre Kleider hängen noch im Schrank, ihre Fotos und Postkarten kleben noch an der Wand, ihr Bett ist noch bezogen. Mein Großvater streicht ein wenig abwesend durch die Flure. So viel gemeinsame Zeit. Es ist kalt, und es regnet. Ein missratener Sommer. Hinter dem Haus stehen zwei Bäume vor dem Fenster. Einer der beiden, die Ulme, ist gerade eingegangen. Mein Großvater erzählt dies mit großem Bedauern am Küchentisch. Dort, wo wir einst zu dritt saßen, sitzen wir nun zu zweit.

JS Die Ulme ist gestorben.

GW Gut, dass Christa das nicht erlebt. Vor Jahren gab es einmal ein Ulmensterben in der Gegend, aber warum die jetzt eingeht? Sie schlägt unten an der Wurzel wieder ein bisschen aus, vielleicht kommt sie wieder. Keine Ahnung.

JS Die beiden Bäume hast du mit Omi eingepflanzt?

GW Die Terrasse hinterm Haus gab es früher nicht. Als wir einzogen, ließen wir Erde aufschütten und fanden zwei Zweige darin. Wir wussten nicht, was das war, und setzten sie aus Spaß ein. Das eine war ein Ahorn und das andere eine Ulme, die ganz selten ist.

JS Es wirkt fast symbolisch, dass die Ulme gerade jetzt eingegangen ist.

GW Kann sein. Es hat auch lange gebraucht, bis sich die Trauerweide im Garten erholt hat, sie ist nun höher als das Dach. Die kleine Linde vor dem Haus ist auch groß geworden. Das dauert hier manchmal, bis so ein Baum Fuß fasst. Bis auf die alten Apfelbäume sind alle Bäume neu.

JS Ich kann mir überhaupt nicht vorstellen, wie das ist, wenn man mehr als sechzig Jahre fast jeden Tag mit einem Menschen zusammen verbracht hat und dieser Mensch plötzlich nicht mehr da ist.

GW Na ja, Christa ist noch anwesend, weil ich mich laufend mit ihren Sachen beschäftige. Ich bekomme so Anfälle, wenn mir etwas in den Sinn kommt, muss ich es noch einmal lesen. Da stehe ich sogar nachts auf und schlage etwas nach.

JS Versenkst du dich auch in Omas Tagebücher?

GW Nein, noch gar nicht. Der Suhrkamp Verlag will eine Gesamtausgabe herausbringen und mit etwas Unbekanntem beginnen. Ich muss mal sehen, ob man weit zurückliegende Tagebücher doch schon einbeziehen kann. Es gibt auch eine ganze Menge unveröffentlichter Texte, Kurzgeschichten, Erzählungen, mal sehen, was man daraus komponieren kann. Ich möchte gern eine bestimmte Erzählung veröffentlichen, die Christa nicht zu Ende geschrieben hat.

JS Das heißt, du siehst deine Aufgabe darin, möglichst noch viele Bücher von Oma zu veröffentlichen?

GW Jedes Jahr sollte etwas erscheinen. Es gibt zum Beispiel eine völlig andere Fassung von *Kindheitsmuster*. Vielleicht kriegt man da ein schönes Buch zusammen …

JS Habt ihr – Oma und du – euch einmal darüber unterhalten, was passiert, wenn einer von euch stirbt?

GW Nein, glaube ich nicht. Christa hatte Angst, dass ich zuerst umfalle, weil sie immer unbeweglicher wurde.

JS Ihr habt nie über den Tod gesprochen?

GW Nein, wenig. Sie hat sehr viel in den Tagebüchern darüber geschrieben, aber nicht mit mir darüber geredet.

JS Ich habe es einmal im Krankenhaus probiert, hörte aber gleich wieder damit auf. Ich merkte, dass sie nicht darüber sprechen mochte.

GW In ihren Tagebüchern geht es sehr viel um den Tod. Das geht los mit ihrer Freundin Christa T., die an Leukämie gestorben ist. Dann Maxi Wander, Brigitte Reimann, ihre Kolleginnen sind reihenweise an Krebs gestorben. Böse Krankheiten. Innerlich hat sie sich sehr damit auseinandergesetzt. Deswegen gab es in Christas letzter Erzählung *August*[125] diesen Rückgriff auf ihre Tuberkulose-Erkrankung 1946 und die Verehrung dieses Jungen in dem Sanatorium. Es ist das erste Mal, dass sie einen Mann erzählen lässt, sich so in ihn hineinversetzt, dass sie ihn erzählen lassen kann. Christa hatte die Briefe von ihm aufgehoben.

Mein Großvater schweigt einen Augenblick.

GW Nun gibt es die schöne Idee, einmal ein Buch zu machen, nicht über Brecht oder Heiner Müller und ihre Frauen, sondern über Christa Wolf und einen Mann.

JS Es gab nicht viele Männer in Omis Leben.

GW Christa hat immer welche verehrt. Nach dem 11. Plenum 1965 war sie fast ein bisschen abhängig von ihrem Psychologen. Da ist sie von uns weggetreten und brauchte andere Bezugspersonen.

JS Wie war das für dich?

GW Es hat mich nicht betroffen. Der wichtige Mann vom Schriftstellerverband in Moskau war in sie verliebt gewesen. Sie bemerkte, sie wurde verehrt.

JS Du hast diese Männer nicht ernst genommen?

GW Das stand auf einer ganz anderen Ebene.

JS Kanntest du Frauen, die du verehrt hast?

GW Ich habe einmal mit einer Frau doll getanzt. Sonst nicht. Ich wollte Christa das auch nicht antun, dazu war die Bindung zu stark. Christa wollte so etwas auch gar nicht hören. Ich glaube, sie war schnell eifersüchtig.

JS Eine kleine Eifersucht muss es doch einmal geben.

GW Muss es nicht.

JS In sechzig Jahren Ehe muss es doch auch Phasen gegeben haben, in denen es einmal nicht so gut lief.

GW Wir haben uns gestritten über ein Manuskript oder über politische Dinge. Ich war zum Teil auch ganz anderer Meinung als sie. Sie war oft hin- und hergerissen. Ich war immer sehr viel rigoroser oder direkter. Womit sie sicher gehadert hat, war, dass sie nach der Biermann-Sache nicht wie ich aus der Partei ausgeschlossen wurde.

JS Das sind politische Auseinandersetzungen, von denen du erzählst, weniger persönliche Konflikte, oder ging das ineinander über?

GW Was sind nicht politische Themen? Gesellschaftliche Konflikte, weltanschauliche Fragen. Was heute in der Literatur der jungen Leute keine Rolle mehr spielt. Ich habe mich gefreut, dass Ingo Schulze[126] sich in einem *SZ*-Artikel nun einmal richtig politisch mit der Globalisierung auseinandersetzt. Machen die Autoren heute selten.

JS Es ist auch eine ganz andere Zeit. Oma kam sich in den letzten Jahren manchmal auch ein wenig ausrangiert vor.

GW Sie war politisch nicht mehr so stark eingebunden wie zuvor. Während des Mauerfalls war sie es noch, aber danach wurde sie heftig als »Staatsdichterin« angefeindet. Die Sache mit der IM-Akte hatte sie weggeschoben, wir diskutierten damals zuerst darüber, ob man damit in die Offensive gehen sollte. Christa sagte, das halte sie nicht aus.

JS Ich versuche weiter, hinter das Geheimnis von sechzig Jahren Ehe zu gelangen. Funktioniert eine so lange Beziehung nur, indem man sich Freiraum lässt?

GW Für mich war Christa immer auch eine wichtige Autorin. Ich wollte sie unterstützen und versuchte auch zu sehen, was sie nicht kann. Ich bin ja ein ganz guter Lektor. Sie hat sich für meine Sachen nie so intensiv interessieren müssen wie ich mich für ihre. Ich habe ihr meine Texte meist erst in einer späteren Entwicklungsphase zum Lesen gegeben oder nicht darüber geredet.

JS Aber es war nie ein Thema, dass sie die Erfolgreiche war?

GW Es war so, aber es war kein Thema. Gott sei Dank! Ich habe es ihr nicht geneidet. Manchmal wurde Blödsinn über mich geschrieben, ich sei der »Prinzgemahl«. Das war es nicht. Christa hatte das Gefühl, dass ich zu Hause dominiere. Es ist eben ein Ehemodell der anderen Art. Ich kann nur über mich schreiben, indem ich über andere schreibe, über die Dichter Hölderlin oder über Johannes

Bobrowski[127]. Das ist mein Zugang, und ich habe viel mehr Hemmungen. Christa war die Dichterin. Es gibt auch Autoren, die müssen schreiben, wie Heiner Müller. Christa und er waren beide einmal Mitarbeiter im Schriftstellerverband vor langer Zeit, als sie beide noch nicht bekannt waren. Da saß er und sagte mit leiser Stimme zu ihr: »Ich werde einmal der wichtigste Dramatiker Deutschlands!«

Wir lachen beide.

GW Heiner hat es Christa übelgenommen, dass sie diese Begebenheit aufschrieb. Er wurde später einmal gefragt, welche Werke er von Christa Wolf schätze. Er antwortete: Na, vielleicht ein paar essayistische Sachen! Ihr feministischer Zugang war nichts für ihn. Er sah die Welt als Schicksalsdrama. 1961 war er aus dem Schriftstellerverband ausgeschlossen worden, und Christa war bei einer dieser Versammlungen dabei gewesen. Sie hat ihm später auch gesagt, dass sie gegen ihn gestimmt hatte. Er hat das Stück *Die Umsiedlerin* über die Kollektivierung der Landwirtschaft geschrieben, das verboten wurde. Darin heißt es so schön von einem, der sterben soll: »›Sind wir im Himmel oder in der Hölle?‹ – ›Fürs Erste sind wir in der LPG.‹«

JS *(lacht)* Wunderbare Sätze!

GW Das fanden damals alle zu hart. *(Lachen)* Heiner hat danach zunächst andere Sachen geschrieben. Eine von Heiners Frauen sagte einmal zu Christa: Wenn du wüsstest, wie er dich beneidet! Christa hatte Erfolg, ein Publikum. Er hatte eine Gemeinde, aber kein Publikum.

JS Anerkennung war für Oma wichtig.

GW Anerkennung ist nicht das richtige Wort. Dass ihr Geschriebenes Wirkung hatte und dass die Menschen es mochten, das hat sie genossen. Obwohl, genossen ist auch nicht der richtige Ausdruck. Preise waren schwierig, aber wichtig. Es war so ein Wechselverhältnis. Vor dem Mauerfall waren Lesungen mit *Kassandra* oder *Kein Ort. Nirgends* immer Riesenveranstaltungen, sie bekam viel Zuwendung. Am dollsten war es einmal in Stuttgart, dort saßen 1200 Menschen im größten Konzertsaal. Als sie 1987 den DDR-Nationalpreis verliehen bekam, fragten wir uns, was wir machen sollten. Eigentlich hätten wir den Preis nicht annehmen wollen. Wir sind nicht zum Empfang gegangen und haben das Geld an Leute verteilt, die es brauchten.

JS Du hast neulich erzählt, dass Oma erst gar nicht zu Suhrkamp gehen mochte, warum nicht?

GW Als Christa 1982 die Poetik-Vorlesungen[128] zu *Kassandra* in Frankfurt hielt, war der Suhrkamp Verlag maßgeblich daran beteiligt. Zuvor waren Ingeborg Bachmann und Uwe Johnson dort eingeladen gewesen. *Kassandra* erschien zuerst in der Bundesrepublik bei Luchterhand, und Christa wollte, dass die Vorlesungen und die Erzählung in einem Band zusammen veröffentlicht werden. Die Poetik-Vorlesungen erschienen immer bei Suhrkamp. Und da unternahm Siegfried Unseld Anstrengungen, Christa als Autorin zu gewinnen und sie davon zu überzeugen, dass ihre Vorlesungen doch bei ihm, bei Suhrkamp, kämen. In dem konkreten Fall gestand er am Ende aber zu, dass sie bei Luchterhand veröffentlicht wurden.

JS Du hast einmal gesagt, Oma fand, bei Suhrkamp seien zu viele männliche Autoren.

GW Siegfried Unseld machte mir gegenüber 1982 ein falsches Angebot. Auf einem Bahnhof bot er mir auf die Hand eine Viertelmillion Mark. Ich empfand das als ungehörig und lehnte ab. Unseld sagte nicht: Ich liebe ihr Werk oder etwas Vergleichbares. Nicht wie Ulla Berkéwicz. Dass wir bei Suhrkamp sind, ist ihr Verdienst.

Als Gerald Trageiser[129], der frühere Leiter des Luchterhand Verlags, der sehr viel für Christa getan hatte, 2001 den Verlag verließ, weil er sich bei Bertelsmann nicht mehr wohl fühlte, wollten wir auch weg. Wir mochten nicht zu einem Konzern gehören, zu dem schon viele andere Verlage gehörten.

Bei Volker Brauns 65. Geburtstag 2004 in der Literaturwerkstatt lernten wir Ulla Berkéwicz kennen. Wenn wir schon früher bei Suhrkamp gewesen wären, dann wäre manches vielleicht ganz anders gelaufen. Siegfried Unseld hat immer sehr zu seinen Autoren gehalten – sogar zu Peter Handke[130] mit seiner Sympathie für Slobodan Milošević. Er hat Handke respektiert.

Unseld, die Suhrkamp-Kultur – das war und ist ein Aushängeschild. Wenn du in den Keller der Unseld-Villa gehst in der Frankfurter Klettenbergstraße, stehen dort weiß ich wie viele Bände, die er verlegt hat, ein breites Spektrum von Adorno bis Habermas.

Mein Großvater sieht ein wenig müde aus. Er schaut aus dem Fenster, es hört nicht auf zu regnen.

JS Willst du dich hinlegen, Opa?

GW Ja, später.

JS Du hast einmal gesagt, dass Autoren nicht auf die Beerdigungen von anderen Autoren gehen. Es klang ein wenig traurig. Hast du sie bei Oma vermisst?

GW Nein, das habe ich gar nicht erwartet. Es waren ja sehr viele Menschen da, und es war der Kreis, den wir wollten. Zum Glück gab es kein Staatsbegräbnis, was es heute in dem Sinne nicht mehr gibt. Uwe Tellkamp[131] war da …

JS … und Uwe Timm[132] und Ingo Schulze.

GW Die beiden habe ich gar nicht gesehen. Viele DDR-Autoren, die nach drüben gegangen sind, entdeckten nach der Wende, dass sie mit denjenigen, die in der DDR geblieben waren, nichts mehr gemein haben wollten. Am stärksten war das bei Sarah Kirsch. Bis kurz nach dem Mauerfall waren wir eigentlich befreundet, danach nicht mehr.

JS Hat sie sich zum Tod von Oma gemeldet?

GW Nein. Das war nach dem Mauerfall ganz aus. Ich habe noch einen langen Essay über sie geschrieben, aber sie hat einfach den Kontakt abgebrochen. Übrigens hat sich keiner der Prenzlauer-Berg-Literaten, die wir über Jahre unterstützt und gefördert haben, mit einer Zeile zu Christas Tod gemeldet. Sie haben das völlig an sich vorbeigehen lassen.

JS Eine Gemeinschaft unter Autoren gibt es nicht?

GW Die gab es auch vorher nicht richtig. Viele Freundschaften sind zerbrochen. Die Freundschaft mit Günter Grass entstand erst zur Wendezeit. Er nahm immer Partei, billigte nicht die Einvernahme der DDR durch die Bundesrepublik. Als Christas Stasigeschichte aufkam, gab es einen

Briefwechsel zwischen ihm und Christa, von da an waren wir richtig befreundet. Am meisten waren wir mit Max Frisch verbunden. Er hatte eine Wohnung in Westberlin. Durch ihn kamen wir auch mit Uwe Johnson[133] in Kontakt. Das war ein spannungsreiches Verhältnis.

JS Johnson warf euch immer vor, dass ihr die DDR nicht verlasst …

GW … dass man in der DDR nicht die Wahrheit schreiben könne. Da konnte er explodieren. Er sagte immer, er sei nicht in den Westen geflohen, sondern umgezogen. Dafür wurde er angegriffen. Wenn er getrunken hatte, konnte er losgehen. Wenn er einen bestimmten Pegel erreicht hatte, war er ganz bezaubernd, aber wenn der überschritten war, wurde er rabiat. Alle haben mit ihm gestritten, keiner war mit ihm in Frieden. Auch mit Frisch hatte er sich überworfen. In der Friedrichstraße kam er uns einmal besuchen, da sagte er: »Ich weiß gar nicht, wo ich hier bin. Bin ja nicht bei Feinden, bin ich bei Freunden?« Vermutlich hatte ihm *Nachdenken über Christa T.* gefallen.

JS Bei Omas Beerdigung hast du eine Rose auf das Grab von Thomas Brasch gelegt.

GW Und eine auf das Grab von Hans Mayer. Aber Brasch ist der Beste.

JS Ich habe gerade *Vor den Vätern sterben die Söhne* gelesen. Da wird einem dieses Bedrückende, diese Enge der DDR noch einmal schmerzhaft bewusst.

GW Auch seine Gedichte sind sehr gut: »Wer durch

mein Leben geht, muss durch mein Zimmer.« Brasch war ein verrückter Hund. Als Christa ihm 1987 den Kleist-Preis verlieh, lag er auf Knien vor ihr. Ihre Laudatio war der Grund, warum Reich-Ranicki auf Christa losging und sie erstmals eine »Staatsdichterin« nannte[134]. Brasch hat sie verteidigt. Einmal lud er uns in Zürich in das beste Lokal ein und beschimpfte uns den ganzen Abend wahnsinnig.

JS Warum?

GW Das war bei ihm so. Er trank nur Whisky Sour und war völlig verkokst. Alle müssen das gewusst haben.

JS Viele koksen!

GW Bei dem Sänger Konstantin Wecker gab es deshalb einen Riesenaufstand. Bei Brasch wussten alle, er kokst wie verrückt, und ihm passierte nie etwas. Das sind so Dinge, die mir unerklärlich bleiben.

JS Welches ist für dich Omas wichtigstes Buch?

GW Ihren eigenen Stil findet sie mit *Juninachmittag* 1965. Dann *Nachdenken über Christa T.*, *Kein Ort. Nirgends*, *Kindheitsmuster* bekam das größte Echo.

JS Ich habe jetzt erst *Kassandra* gelesen. Es ist vom Sprachduktus ganz anders als ihre anderen Bücher. Das ist ein hermetischer Text, in dem jedes Wort genau an der richtigen Stelle steht. Der Text hat einen Rhythmus wie ein Musikstück. Toll.

GW Stimmt. Da ist manchmal ein bisschen Versmaß drin.

JS Es hat mich auch erstaunt, so ein hermetisch geschlossenes eigenes Kunstwerk kannte ich von ihr noch nicht.

GW Es ist besonders.

JS Hast du immer sofort alles gelesen, was Christa geschrieben hat, oder hast du manchmal abgewartet, bis sie dir etwas gab?

GW Das war unterschiedlich. Sie wollte sich immer noch einmal mit Medusa, einer anderen Figur aus der griechischen Mythologie, beschäftigen. Das hat sie nicht mehr geschafft.

JS Auch das letzte Buch *Stadt der Engel* fiel ihr schwer. Daran hat sie sehr lange gearbeitet.

GW Dabei ging es lange um die Form des Ganzen. Außerdem wollte sie sich noch einmal in die Stasigeschichte hineinbegeben. Ihre ursprüngliche Betroffenheit war abgeklungen und kam dadurch noch einmal hoch. Übrigens hat sich Frank Schirrmacher bei der Stasigeschichte damals anständig verhalten, er sagte, da sei ja nicht viel gewesen.

JS Bei der Trauerfeier und in den Nachrufen bezogen sich viele noch einmal darauf.

GW Für Christa stand das nicht mehr im Vordergrund. Es war im Grunde auch nicht viel gewesen.

JS Gibt es etwas, von dem du im Nachhinein sagst, das hättet ihr anders machen sollen?

GW Ich weiß nicht. Manchmal dachten wir, wir hätten weggehen sollen. Aber wir wollten die Kinder und Christas Vater nicht alleinlassen. Und mit der ganzen Familie die DDR zu verlassen wäre sehr schwer gewesen, sehr aufwendig – und wohin …

Mein Großvater sieht nun sehr erschöpft aus, ab und zu holt er Bücher aus dem Nebenzimmer, um mir etwas darin zu zeigen oder um etwas zu suchen. Noch im Sommer 2011 feierten wir in Woserin die diamantene Hochzeit meiner Großeltern. Das letzte große gemeinsame Familienfest.

JS Es ging Oma das ganze vergangene Jahr schon sehr schlecht.

GW Eigentlich hat sie sich nie von der Knieoperation 2008 erholt. Von da an musste sie am Stock laufen. Das hat sie gestört, und ihr Kreuz tat weh. Es ist ganz erstaunlich, was sie trotzdem noch alles geschafft hat. Sie nahm 2010 zwei Preise entgegen und bestritt mit Enthusiasmus eine große Veranstaltung im Schloss Neuhardenberg. Eine Lesung in Hamburg war dann schon sehr anstrengend für sie. Wir übernachteten in einem Hotel. Morgens kam sie kaum aus dem Bett, weil es viel zu tief lag. Solche Dinge. Sie konnte sich nicht mehr gut bewegen, das schränkte sie sehr ein. Im Februar 2011 reiste sie noch ein letztes Mal mit zwei Krücken nach Dresden und las dort. Abends fuhr sie aber gleich wieder heim. Im Nachhinein staune ich auch, dass sie *Stadt der Engel* zu Ende schreiben konnte. Sie hat bis März 2010 noch viel daran gearbeitet.

JS Vielleicht hat sie beim Arbeiten die Anstrengung nicht gemerkt, sondern erst danach.

GW Gemerkt hat sie sie schon. Das ganze äußere Leben hielt ich aufrecht, das habe ich immer gemacht. Der richtige Einbruch kam im Sommer 2011, von da an musste sie betreut werden. Von anderen auf die Toilette gebracht werden. Das war furchtbar. Das widersprach ihr völlig.

JS Sie war eine stolze Frau.

GW Eine in sich ruhende Frau. Stolz ist nicht der richtige Ausdruck. Sie hatte etwas ganz Eigenes. Das ist es, glaube ich, was unsere Beziehung ausmachte, dass ich wusste und respektierte, dass sie etwas ganz Eigenes hatte. Ich habe damals nie ihre Tagebücher gelesen. Nie. In ihre Manuskripte habe ich immer wieder einmal, manchmal auch heimlich hineingeschaut. Ich habe sehr vieles angestoßen wie *Leibhaftig*.

JS Was planst du in der nächsten Zeit?

GW Ich möchte den Briefwechsel mit dem Maler Carlfriedrich Claus[135] kommentiert veröffentlichen; das liest sich wie eine persönliche Geschichte der DDR. Aber schon die erfassten Briefe ergeben tausend Seiten …

JS Du möchtest auch eine Gesellschaft oder Stiftung ins Leben rufen, die Omas Erbe pflegt.

GW Hier werden die Töchter die Initiative ergreifen, eine Christa-Wolf-Gesellschaft zu gründen. Es gibt dazu auch ein Projekt, in der Humboldt-Universität mit unserer umfangreichen Bibliothek Räume für ein öffentliches Archiv zu errichten, wie es das für Heiner Müller dort gibt. Sonst geht alles verloren.

JS Hat Oma einmal gesagt, was sie sich nach ihrem Tod wünscht?

GW Nein, das hat sie nicht interessiert. Mich schon eher. Zum Beispiel kümmerten wir uns nie um den Friedhof. Als Günter Gaus begraben wurde, sagte ich zu ihr: »Ruf doch einmal beim Dorotheenstädtischen Friedhof an. Du kennst doch den Pastor.« Das hat sie nie gemacht. Da war sie scheu, das wollte sie nicht. Sie ist nun dort beerdigt.

JS Wenn du heute allein in Woserin oder in der Berliner Wohnung bist, vermisst du Christa sehr oder kannst du durch das Lesen ihrer Sachen und die Beschäftigung mit ihr den Verlust ein wenig abmildern?

GW Ich weiß gar nicht, wie ich das formulieren soll. Sie hat einmal geschrieben, dass sie mich gar nicht traurig kenne. Sie kenne mich nur bestürzt und wisse nicht, ob ich trauern könne. Ich weiß nicht genau, was sie damit meint. Wenn eine Freundin gestorben ist, hat sie sicher völlig anders getrauert als ich. Unter uns haben wir gesagt, dass ich noch einmal ein Gegenporträt von ihr schreibe: *Sie und ich* statt *Er und ich*. Aber ich sagte, so gut kriege ich das nicht hin. *(lacht)*

JS Wer weiß?

GW Nein. *Er und ich* ist sehr gut geschrieben, hält gut das Gleichgewicht zwischen Nähe, Distanz und ironischem Humor. Natalia Ginzburg muss etwas Ähnliches veröffentlicht haben[136]. Mit ihr hatte Christa Bezugspunkte. Auch zur Schriftstellerin Friederike Mayröcker gab es Bezugspunkte, zu ihrer Schreibweise, aber Mayröcker ist ja ganz auf sich bezogen.

JS Das sind viele Autoren. Oma war nicht so.

GW Gar nicht. Sie war offen für die Familie. Deswegen meinte sie stets, sie sei keine große Dichterin.

JS Ich weiß nicht, wie es dir geht, aber ich finde, hier in Woserin merkt man besonders, dass Oma nicht mehr da ist. Sie fehlt.

GW Ich bin in Woserin nicht mehr so verwurzelt. Es läuft hier gut weiter. Tinka und Martin kümmern sich unermüdlich um Haus und Garten. Martin hat ein Atelier und jährlich seinen Malzirkel. Ich finde es schön, dass dein Cousin Anton öfter mit Freunden herkommt und ein Feuerchen macht und dass deine Cousine Helene, wenn sie nun bald ein Kind hat, wieder öfter hier sein wird. Es ist gut, dass die Familie weiter wächst. Die Hauptarbeiten am Haus sind getan, nun muss man es erhalten. Ich kann nicht mehr viel machen, deshalb spüre ich diese Bindung nicht mehr. Ich werde nichts mehr umbauen, höchstens vielleicht einmal die Fenster neu streichen lassen.

Familienübersicht

Otto Ihlenfeld, Vater von Christa Wolf (1897–1989), Kaufmann

Hertha Ihlenfeld, Mutter von Christa Wolf (1899–1968), Kauffrau

Alfred Wolf, Vater von Gerhard Wolf (1896–1987), Buchhalter

Margarete Wolf, Mutter von Gerhard Wolf (1894–1938), Schneidermeisterin

Felicitas Wolf (Feechen), Ziehmutter von Gerhard Wolf (?–1950), Ausbilderin für Kindererzieherinnen

Christa Wolf (1929–2011), Schriftstellerin

Horst Ihlenfeld, Bruder von Christa Wolf, geb.1932, Professor für Strömungstechnik a.D., ehemaliger Leiter des Windkanals an der TU Dresden

Gerhard Wolf, geb. 1928, Schriftsteller

Dieter Wolf, Bruder von Gerhard Wolf, geb. 1933, Dramaturg

Helmut Wolf, Halbbruder von Gerhard Wolf (1942–1987), Landwirt

Franciska Faktorová (Franzi), mit Christa und Gerhard Wolf befreundet, Mutter von Jan Faktor (Honza) (1926–1997), Journalistin und Übersetzerin

Annette Simon, Tochter von Christa und Gerhard Wolf, Mutter von Jana Simon und Benjamin Faktor, geb. 1952, Psychoanalytikerin

Rainer Simon, erster Ehemann von Annette Simon, Vater von Jana Simon, geb. 1941, Filmregisseur

Jan Faktor (Honza), zweiter Ehemann von Annette Simon, Ziehvater von Jana Simon und Vater von Benjamin Faktor, geb. 1951, Schriftsteller

Jana Simon, Enkelin von Christa und Gerhard Wolf, geb. 1972, Journalistin

Benjamin Faktor (Benni), Enkel von Christa und Gerhard Wolf, Bruder von Jana Simon (1979–2012)

Frank Rothe, Ehemann von Jana Simon, geb. 1972, Fotograf und Autor

Nora Simon, Tochter von Jana Simon und Frank Rothe, geb. 2008

Katrin Wolf (Tinka), Tochter von Christa und Gerhard Wolf, Tante von Jana Simon, geb. 1956, stellv. Geschäftsführerin filia.diefrauenstiftung

Martin Hoffmann, Ehemann von Katrin Wolf, geb.1948, Maler und Graphiker

Helene Wolf, Enkelin von Christa und Gerhard Wolf, Cousine von Jana Simon, geb. 1982, stellv. Geschäftsführerin International Civil Society Center

Anton Wolf, Enkel von Christa und Gerhard Wolf, Cousin von Jana Simon, geb.1984, Student der Japankunde

Wichtige Daten und Veröffentlichungen Christa und Gerhard Wolf

1944 Einberufung von Gerhard Wolf als Flakhelfer

1945 Flucht von Christa Wolf und ihrer Familie von Landsberg an der Warthe nach Mecklenburg

1946 Christa Wolf Oberschule in Schwerin, Lungensanatorium Kalkhorst bei Boltenhagen

1947 Umzug der Familie Ihlenfeld nach Bad Frankenhausen, Thüringen, Abitur Gerhard Wolf – von da an bis 1949 Arbeit als Oberschulhelfer

1949 Abitur von Christa Wolf in Bad Frankenhausen

1949 bis 1951 Christa und Gerhard Wolf Studium der Germanistik in Jena

1951 Heirat von Christa und Gerhard Wolf

1951 bis 1953 Christa Wolf Studium der Germanistik in Leipzig, Gerhard Wolf arbeitet als Redakteur beim Rundfunk in Leipzig und Berlin

1953 Umzug nach Berlin-Karlshorst

1953 bis 1956 Gerhard Wolf setzt sein Studium an der Humboldt-Universität in Berlin fort, arbeitet danach bis 1957 als Leiter der Literatur im Deutschlandsender, danach freischaffender Schriftsteller

1953 bis 1955 Christa Wolf ist wissenschaftliche Mitarbeiterin beim Schriftstellerverband.

1956 Cheflektorin Verlag *Neues Leben*

1958 bis 1959 Redakteurin der Zeitschrift *Neue Deutsche Literatur*

1959 Umzug nach Halle

1959 bis 1962 Christa Wolf freie Lektortätigkeit für den Mitteldeutschen Verlag, Halle, freischaffende Schriftstellerin, 1959 bis 1986 Gerhard Wolf Außenlektor dort

1961 *Moskauer Novelle* (Christa Wolf), *Der Dichter Louis Fürnberg* (Gerhard Wolf)

1962 Umzug nach Kleinmachnow

1963 *Der geteilte Himmel*

1967 *Johannes Bobrowski. Leben und Werk* (Gerhard Wolf)

1969 *Nachdenken über Christa T.*

1971 *Beschreibung eines Zimmers. 15 Kapitel über Johannes Bobrowski* (Gerhard Wolf)

1972 *Der arme Hölderlin* (Gerhard Wolf), Christa und Gerhard Wolf *Till Eulenspiegel*

1974 *Albert Ebert* (Gerhard Wolf)

1975 Erwerb des Sommerhauses in Neu-Meteln, Mecklenburg

1976 Umzug nach Berlin in die Friedrichstraße, *Kindheitsmuster*, Christa und Gerhard Wolf Mitverfasser der Protestresolution zur Ausbürgerung Biermanns

1979 *Kein Ort. Nirgends*

1980 Griechenlandreise, Georg-Büchner-Preis (Christa Wolf)

1980 bis 1990 Gerhard Wolf gibt gemeinsam mit dem Schriftsteller Günter de Bruyn die Reihe *Märkischer Dichtergarten* heraus.

1983 *Kassandra.* Das Haus in Neu-Meteln brennt ab.

1984 Erwerb des Sommerhauses in Woserin, Mecklenburg

1985 Christa und Gerhard Wolf *Ins Ungebundene gehet eine Sehnsucht. Gesprächsraum Romantik*

1986 *Die Dimension des Autors. Essays, Reden, Gespräche*

1987 *Störfall,* Nationalpreis der DDR 1. Klasse für Kunst und Literatur (Christa Wolf)

1988 Umzug nach Berlin-Pankow, lebensbedrohliche Bauchfellentzündung von Christa Wolf, langer Krankenhausaufenthalt, *Wortlaut. Wortbruch. Wortlust, Essays* (Gerhard Wolf)

1988 bis 1991 gibt Gerhard Wolf in der Serie »Außer der Reihe« zahlreiche Werke von Autoren um den Berliner Prenzlauer Berg heraus.

1989 *Sommerstück,* Rede von Christa Wolf auf der Demonstration am 4. November auf dem Berliner Alexanderplatz

1990 Gründung des Verlages Gerhard Wolf Janus press, *Was bleibt* von Christa Wolf löst den deutschen Literaturstreit aus.

1992/1993 Aufenthalt von Christa Wolf in Los Angeles, Scholar am Getty Center in Santa Monica, *Sprachblätter Wortwechsel, Essays* (Gerhard Wolf)

1993 *Akteneinsicht Christa Wolf. Zerrspiegel und Dialog,* herausgegeben von Hermann Vinke

1995 Ausstellung und Buch Christa und Gerhard Wolf *Unsere Freunde, die Maler*

1996 *Medea. Stimmen*

1998 *Die Poesie hat immer recht. Texte* (Gerhard Wolf)

2002 *Leibhaftig*

2003 *Ein Tag im Jahr 1960–2000*

2008 Christa Wolf hat eine schwere Knieoperation.

2010 *Stadt der Engel oder The Overcoat of Dr. Freud*, Uwe-Johnson-Preis, Thomas-Mann-Preis (Christa Wolf)

2011 Am 1. Dezember stirbt Christa Wolf.

2012 *August*, Erzählung

2013 *Ein Tag im Jahr im neuen Jahrhundert 2000–2011*

Anmerkungen

1 Anton Wolf, geb. 1984, Enkel von Christa und Gerhard Wolf, Cousin von Jana Simon, Student

2 Otto Ihlenfeld (1897–1989), Vater von Christa Wolf, Kaufmann

3 Dieter Wolf, geb. 1933, Bruder von Gerhard Wolf, Dramaturg

4 Konrad Wolf (1925–1982), Filmregisseur, emigrierte 1933 mit seiner Familie zunächst in die Schweiz und dann in die Sowjetunion, mit 17 wurde er in die Rote Armee eingezogen, später arbeitete er als Regisseur bei der DEFA und war von 1965 bis 1982 Präsident der Akademie der Künste der DDR, mit Christa und Gerhard Wolf befreundet.

5 Günther Weisenborn (1902–1969), Schriftsteller und Widerstandskämpfer, Unterstützer der Roten Kapelle, er wurde von den Nazis zum Tode verurteilt, später von den sowjetischen Truppen befreit, seine Zeit im Widerstand verarbeitete er in dem Stück »Die Illegalen«.

6 Christa Wolf wurde in Landsberg an der Warthe/Neumark geboren und wuchs dort auf. Die Stadt heißt heute Gorzów Wielkopolski und liegt in Polen.

7 Es handelt sich um eine Zeile aus dem Gedicht »Die Weihe der Nacht« von Friedrich Hebbel.

8 Es handelt sich um eine Zeile aus dem Gedicht »Soldatenabschied« (1914) von Heinrich Lersch.

9 Jan Faktor, genannt Honza, geb. 1951 in Prag, Ziehvater

von Jana Simon, Schwiegersohn von Christa und Gerhard Wolf, Schriftsteller

10 Neu-Meteln in Mecklenburg (1975–1983), das Sommerhaus von Christa und Gerhard Wolf, brannte 1983 vollständig nieder.

11 Thomas Nicolaou (1937–2008), Schriftsteller und Übersetzer, als Kind griechischer Emigranten in der DDR aufgewachsen, wohnte gemeinsam mit seiner Frau Carola nahe Neu-Meteln, war mit Christa und Gerhard Wolfs Familie befreundet. Nach dem Mauerfall stellte sich seine Mitarbeit für die Staatssicherheit heraus, er bespitzelte die Familie Wolf, lebte nach dem Mauerfall in Griechenland.

12 Günther Uecker, geb. 1930, Maler und Objektkünstler, wurde mit seinen Nagelbildern bekannt, mit Christa und Gerhard Wolf befreundet.

13 Helene Wolf, geb. 1982, Enkelin von Christa und Gerhard Wolf, Cousine von Jana Simon, stellv. Geschäftsführerin International Civil Society Center

14 Woserin in Mecklenburg, Sommerhaus der Familie seit 1984

15 Annette Simon, geb. 1952, ältere Tochter von Christa und Gerhard Wolf, Mutter von Jana Simon, Psychoanalytikerin

16 Rainer Simon, geb. 1941, Vater von Jana Simon, Filmregisseur, Annette und Rainer Simon haben sich 1975 getrennt.

17 Benjamin Faktor (1979–2012), Enkel von Christa und Gerhard Wolf, Bruder von Jana Simon

18 Der Text *Er und ich* von Christa Wolf erschien im Almanach zum siebzigsten Geburtstag Gerhard Wolfs 1998: *Die Poesie hat immer recht. Gerhard Wolf. Autor, Herausgeber, Verleger*, Janus press, Berlin 1998.

19 Frank Rothe, geb. 1972, Fotograf und Autor, ist seit 1992 der Lebenspartner von Jana Simon.

20 Volker Braun, geb. 1939, Schriftsteller, eng mit Christa und Gerhard Wolf befreundet

21 Christoph Hein, geb. 1944, Schriftsteller, mit Christa und Gerhard Wolf befreundet

22 Daniela Dahn, geb. 1949, Schriftstellerin, verheiratet mit Jochen Laabs, geb. 1937, Schriftsteller, mit Christa und Gerhard Wolf befreundet

23 Seit 1986 traf sich Christa Wolf jeden Monat mit Kolleginnen. Die »Weiberrunde« existiert bis heute. Dazu gehören die Schriftstellerinnen Sigrid Damm, Renate Drescher, Helga Schütz, Brigitte Struzyk, Gerti Tetzner, Helga Königsdorf, Rosemarie Zeplin, Brigitte Burmeister und Daniela Dahn.

24 Günter de Bruyn, geb. 1926, Schriftsteller, mit Christa und Gerhard Wolf befreundet

25 Gerhard Wolf hat 1993 eine Rede zur Buchpremiere von Günter de Bruyns Buch *Mein Brandenburg* gehalten, in der er auch ihre Freundschaft thematisierte, erschienen in: *Die Poesie hat immer recht*, *Gerhard Wolf. Autor, Herausgeber, Verleger,* ein Almanach zum 70. Geburtstag, Berlin 1998.

26 Sarah Kirsch (1935–2013), Dichterin, seinerzeit mit Christa und Gerhard Wolf befreundet, siedelte 1977 über Westberlin nach Thielenhemme/Schleswig-Holstein.

27 Katrin Wolf, genannt Tinka, geb. 1956, jüngere Tochter von Christa und Gerhard Wolf, Tante von Jana Simon, stellv. Geschäftsführerin der filia.diefrauenstiftung

28 Fred und Maxi Wander, Maxi Wander (1933–1977), österreichische Schriftstellerin, lebte seit 1958 in der DDR, wurde bekannt durch ihr Buch *Guten Morgen, du Schöne*, Berlin 1977, starb 1977 an Krebs; Fred Wander

(1917–2006), österreichischer Schriftsteller, war während des Zweiten Weltkrieges in den KZs Auschwitz und Buchenwald interniert, emigrierte 1958 in die DDR und verließ sie 1983 wieder, lebte bis zu seinem Tod in Wien, die Wanders waren mit Christa und Gerhard Wolf befreundet.

29 Es handelt sich um das Buch von Gerhard Wolf *Der arme Hölderlin*, Berlin 1972, 2012.

30 Aufrufaktion von Initiatoren aus der Bürgerbewegung im letzten Jahr der DDR. Christa Wolf brachte den Text in seine Endfassung. Er wurde am 28. November 1989 veröffentlicht. Der Aufruf enthielt die Aufforderung, sich gegen eine Vereinnahmung durch die Bundesrepublik und für eine Eigenständigkeit der DDR einzusetzen. Mehr als eine Million Menschen unterzeichneten. Der Aufruf wurde damals als realitätsfern und elitär angegriffen.

31 Sebastian Pflugbeil, geb. 1947, Physiker, Mitbegründer des Neuen Forums, 1990 Minister ohne Geschäftsbereich in der letzten von der SED geführten DDR-Regierung unter Hans Modrow

32 Egon Krenz, geb. 1937, seit 1984 zweiter Mann nach Erich Honecker, ab Oktober 1989 für sieben Wochen als Nachfolger Honeckers Staatsratsvorsitzender der DDR

33 *Die Andere* wurde vom Neuen Forum im Januar 1990 gegründet. Sie war eine überregionale Wochenzeitung und wurde im April 1991 eingestellt.

34 Arno Breker (1900–1991), Bildhauer, galt als einer der populärsten Bildhauer im Nationalsozialismus.

35 Anna Seghers (1900–1983), Schriftstellerin, trat 1928 in die KPD ein, in der NS-Zeit wurden ihre Bücher in Deutschland verboten und verbrannt, sie emigrierte erst in die Schweiz, dann nach Frankreich und 1941 schließlich nach Mexiko, 1947 kehrte sie nach Deutschland zu-

rück, lebte ab 1950 in Ostberlin, von 1952 bis 1978 war sie Präsidentin des Schriftstellerverbandes der DDR, stand mit Christa Wolf im regen Austausch. Der Briefwechsel Anna Seghers/Christa Wolf *Das dicht besetzte Leben* erschien 2003 im Aufbau Verlag, Berlin.

36 Bertolt Brecht (1889–1956), Dramatiker und Lyriker, emigrierte 1933 über Österreich, die Schweiz und Frankreich nach Dänemark, 1941 ging er schließlich in die USA, 1947 wurde er dort von dem »Ausschuss für unamerikanische Umtriebe« befragt, kehrte 1948 nach Berlin zurück und gründete mit Helene Weigel das Berliner Ensemble.

37 Der Kulturbund zur demokratischen Erneuerung Deutschlands wurde 1945 von Johannes R. Becher und anderen gegründet, war zunächst eine unabhängige Massenorganisation. Die Auseinandersetzung mit der Nazivergangenheit und die kulturelle Erziehung der Bevölkerung waren erklärte Ziele des Bundes. Später orientierte sich der Kulturbund an der DDR-Kulturpolitik.

38 Georg Lukács (1885–1971), ungarischer Philosoph und Literaturwissenschaftler, er gilt als bedeutender Erneuerer der marxistischen Ästhetik.

39 Das Staatliche Komitee für Rundfunk wurde am 15. September 1952 in Ostberlin gegründet und war das oberste Leitungsgremium für den Rundfunk der DDR mit den Sendern Radio DDR, Berliner Rundfunk und Deutschlandsender.

40 Hans Mayer (1907–2001), Literaturwissenschaftler, ging 1963 in die Bundesrepublik, Christa und Gerhard Wolf standen mit ihm bis zu seinem Tod in lebhaftem Kontakt.

41 Kurt Barthel, genannt KuBa (1914–1967), Schriftsteller und Dramatiker, trat 1933 in die SPD ein und emigrierte

in die Tschechoslowakei, später nach England, kehrte 1946 nach Deutschland zurück und trat in die SED ein.

42 Heiner Müller (1929–1995), Dramatiker, letzter Präsident der Akademie der Künste (Ost)

43 Johannes R. Becher (1891–1958), Dichter und Politiker, KPD-Funktionär, emigrierte 1933 in die Tschechoslowakei, später in die Sowjetunion, wurde 1954 erster Kulturminister der DDR, Verfasser der Nationalhymne der DDR.

44 Das Buch erschien 1955, darin beschreibt der Historiker Wolfgang Leonhard sein Leben und seine politische Laufbahn von der Flucht aus Deutschland in die Sowjetunion 1935 bis zu seinem Fortgang aus der Sowjetischen Besatzungszone 1949 nach Belgrad.

45 Stephan Hermlin (1915–1997), Schriftsteller, Sohn jüdischer Eltern, emigrierte 1936 über Palästina nach Frankreich und in die Schweiz, nach dem Krieg kehrte er nach Deutschland zurück, lebte ab 1947 in Ostberlin, viele Jahre mit Christa und Gerhard Wolf befreundet.

46 Friedrich (1909–1979) und Anna (1902–1972) Schlotterbeck, Friedrich Schlotterbeck war Schriftsteller, als Kommunist saß er zehn Jahre im KZ und im Zuchthaus, 1944 konnte er in die Schweiz fliehen. Seine gesamte Familie wurde in Sippenhaft hingerichtet. Er übersiedelte mit seiner späteren Frau Anna 1948 nach Ostdeutschland, in der DDR wurden beide im Zuge stalinistischer Prozesse wiederum zu Gefängnishaft verurteilt. Christa und Gerhard Wolf waren mit Schlotterbecks befreundet.

47 Stalinistische Prozesse mit antisemitischen Tendenzen gegen führende Mitglieder der Kommunistischen Partei der ČSSR unter Generalsekretär Rudolf Slánský mit zahlreichen Todesurteilen oder Haftstrafen, daran anknüpfend auch Prozesse in der DDR

48 Louis Fürnberg (1909–1957), Lyriker und Erzähler, kehrte nach der Emigration als jüdischer kommunistischer Antifaschist in Palästina 1946 nach Prag zurück, entging den Slánksý-Prozessen 1952, siedelte 1954 in die DDR über, war dort stellv. Direktor der Forschungs- und Gedenkstätten in Weimar, mit ihm waren Christa und Gerhard Wolf freundschaftlich verbunden.

49 Wolfgang Harich (1923–1995), Philosoph und Journalist, ab 1944 im Untergrund, trat 1946 in die KPD ein, 1954 Cheflektor des Aufbau Verlages, Mitglied im »Kreis der Gleichgesinnten«, einem informellen Zirkel marxistischer Intellektueller, die parteiinterne Reformen forderten. Harich fasste die Diskussionsergebnisse in einer »Plattform für den besonderen deutschen Weg zum Sozialismus« zusammen, darin wurde u.a. die Entmachtung Ulbrichts und ein entmilitarisiertes neutrales Deutschland gefordert. Am 29. November 1956 wurde er verhaftet. Unter dem Eindruck des Ungarn-Aufstandes statuierte die DDR-Führung ein Exempel. Harich wurde 1957 in einem Schauprozess wegen »Bildung einer konspirativen staatsfeindlichen Gruppe« zu zehn Jahren Zuchthaus verurteilt. 1964 wurde er aus der Haft entlassen und arbeitete im Akademie Verlag.

50 Walter Janka (1914–1994), Verleger und Dramaturg, unter den Nazis war er im KZ, wurde dann in die Tschechoslowakei abgeschoben, Janka kämpfte im Spanischen Bürgerkrieg auf der Seite der Internationalen Brigaden und emigrierte später nach Mexiko. 1947 kehrte er nach Deutschland zurück, lebte dann in der DDR, war dort Leiter des Aufbau Verlages von 1952 bis 1956, 1957 wegen »Bildung einer konterrevolutionären Gruppierung« zu fünf Jahren Gefängnis verurteilt, später Dramaturg bei der DEFA, mit Christa und Gerhard Wolf befreundet.

51 Karl-Eduard von Schnitzler (1918–2001), Journalist und Rundfunk-Kommentator, später Moderator der Propaganda-Sendung *Der schwarze Kanal*

52 Martin Hoffmann, geb. 1948, Mann von Katrin (Tinka) Wolf, Schwiegersohn von Christa und Gerhard Wolf, Onkel von Jana Simon, Maler und Graphiker, Layouter zahlreicher Titel von Christa Wolf, seit 1990 Buchgestalter für den Verlag Gerhard Wolf Janus press

53 Die International Crisis Group ist eine nichtstaatliche Organisation und liefert seit 1995 Analysen, Berichte und Lösungsvorschläge zu internationalen Konflikten. Ihre Zentrale ist in Brüssel.

54 Franz Fühmann (1922–1984), Schriftsteller, mit Christa und Gerhard Wolf befreundet

55 Die Biermann-Sache, eine Anspielung auf den offenen Brief von zwölf prominenten Erstunterzeichnern (Stephan Hermlin, Stefan Heym, Heiner Müller, Volker Braun, Erich Arendt, Jurek Becker, Sarah Kirsch, Rolf Schneider, Franz Fühmann, Günter Kunert, Christa und Gerhard Wolf) gegen die Ausbürgerung Wolf Biermanns, der von Christa und Gerhard Wolf mitverfasst wurde, und die darauffolgenden Maßnahmen von Partei und Staatssicherheit gegen die Unterzeichner

56 Hans Altenhein, geb. 1927, Verleger

57 OV steht für »Operativer Vorgang«, Maßnahmeplan der Staatssicherheit zur Überwachung Oppositioneller

58 Alfred Kurella (1895–1975), Schriftsteller und Kulturfunktionär, als Kommunist Emigration in die Sowjetunion, 1957 bis 1963 im Politbüro der SED und nach 1963 als Mitglied der Ideologischen Kommission des Politbüros maßgeblich an der Kulturpolitik der SED beteiligt

59 Werner Bräunig (1934–1976), Schriftsteller, schrieb in

seinem Roman *Rummelplatz* über das Leben der Arbeiter der Wismut AG im Uranabbau, nach der heftigen Kritik auf dem 11. Plenum brach er 1966 die Arbeit an dem Text ab. Der Roman wurde in der DDR nie vollständig veröffentlicht, Bräunig verfiel dem Alkohol und starb mit 42 Jahren. 2007 erschien *Rummelplatz* erstmals vollständig im Aufbau Verlag, Christa Wolf schrieb das Vorwort.

60 Die *Neue Deutsche Literatur* wurde 1954 vom Schriftstellerverband gegründet und war eine der wichtigsten Literaturzeitschriften der DDR, 2004 wurde sie eingestellt.

61 Erich Apel (1917–1965), stellv. Vorsitzender des Ministerrats und Vorsitzender der Staatlichen Plankommission, sollte am 3. Dezember 1965 einen neuen Handelsvertrag mit der Sowjetunion unterzeichnen, erschoss sich in seinem Büro.

62 Jeanne Stern (1908–2000) und Kurt Stern (1907–1989), Schriftsteller, schrieben auch Filmszenarien und Reportagen, Mitglieder der kommunistischen Jugendbewegung, Emigration nach Frankreich, Teilnehmer am Kampf gegen Franco in Spanien, Exil in Mexiko, übersiedelten 1946 nach Ostberlin, mit Christa und Gerhard Wolf befreundet.

63 Petőfi-Klub, Club ungarischer Schriftsteller und Intellektueller, der an der Vorbereitung des ungarischen Aufstands 1956 beteiligt war, galt seitdem in der Sprache der SED als »Gruppierung der Konterrevolution«.

64 Thomas Brasch (1945–2001), Schriftsteller, als Sohn jüdischer Emigranten im englischen Exil geboren, verteilte 1968 Flugblätter gegen den Einmarsch der Warschauer-Pakt-Truppen in Prag, wurde deshalb zu zwei Jahren und drei Monaten Haft verurteilt, 1976 unterschrieb er die Resolution gegen die Biermann-Ausbürgerung, danach siedelte er nach Westberlin über.

65 Florian Havemann, geb.1952, Schriftsteller, Maler, Komponist, wurde 1968 nach der Flugblattaktion verhaftet und inhaftiert, flüchtete 1971 in den Westen.

66 Vgl. »Nur eine Lösung: Sozialismus« in: *Neues Deutschland* vom 4. September 1968

67 *Das Manifest der 2000 Worte* wurde 1968 von dem tschechischen Schriftsteller Ludvík Vaculík verfasst. Es ist ein Schlüsseltext des Prager Frühlings. Das Manifest greift die Politik der Kommunistischen Partei an und setzt sich für eine Demokratisierung des Landes ein. Es wurde von siebzig Wissenschaftlern, Künstlern, Arbeitern und Sportlern unterzeichnet.

68 Franzi Faktorova (1926–1997), Mutter von Jan Faktor (Honza), deutsche Jüdin aus Ostrau, wurde von Prag aus nach Theresienstadt und in das KZ Auschwitz deportiert, 1945 befreit, bis 1968 Redakteurin bei *Literárni Noviny*, seit 1959 mit Christa und Gerhard Wolf eng befreundet. Sie lebte in Prag und übersetzte mehrere Bücher von Christa Wolf ins Tschechische, nach 1968 wegen Berufsverbots u. a. Namen. Stiefoma von Jana Simon, die sie oft in den Ferien in Prag besuchte.

69 Günter Gaus (1929–2004), Journalist, Diplomat, Politiker, 1969 Chefredakteur des *Spiegel*, 1973 Wechsel in die Politik als Staatssekretär im Bundeskanzleramt, 1974 bis 1981 Leiter der Ständigen Vertretung der Bundesrepublik in Ostberlin, mit Christa und Gerhard Wolf befreundet

70 Es geht um die Filme von Rainer Simon *Das Luftschiff* (1982) und *Die Besteigung des Chimborazo* (1988). Jana Simon spielte darin kleine Rollen.

71 Franz Carl Weißkopf (1900–1955), Schriftsteller, nach der deutschen Besetzung Prags Emigration nach Frankreich, später in die USA, nach dem Krieg war er Diplomat

für die Tschechoslowakei. 1953 siedelte er in die DDR über und gab gemeinsam mit Willi Bredel die *Neue Deutsche Literatur* heraus.

72 Marcel Reich-Ranicki: »Christa Wolfs unruhige Elegie«, in: *Die Zeit* vom 23. Mai 1969

73 Der Literaturstreit wurde ausgelöst durch die Publikation der Erzählung Christa Wolfs *Was bleibt* 1990. Darin beschreibt sie die massive Überwachung durch die Staatssicherheit nach der Ausbürgerung Wolf Biermanns. Noch vor der Veröffentlichung erschienen zwei Rezensionen, am 1. Juni in der *Zeit* von Ulrich Greiner und am 2. Juni in der *FAZ* von Frank Schirrmacher, sie kritisierten nicht nur den Text, sondern grundsätzlich die politische Haltung Christa Wolfs. Beide Kritiker warfen ihr den Zeitpunkt der Publikation vor – sie habe die Erzählung aus Furcht zu spät veröffentlicht –, und zweifelten an Wolfs moralischer Integrität und Glaubwürdigkeit. Schirrmacher unterstellte ihr indirekt einen »autoritären Charakter«. Den Angriffen Greiners und Schirrmachers schlossen sich die meisten Literaturkritiker an.

74 Michel Gaißmayer, geb. 1937 in Berlin, Mitte der sechziger Jahre arbeitete er für Willy Brandt, danach organisierte er Ausstellungen und gesellschaftspolitische Kampagnen und schrieb für *Die Wahrheit*. Seit Ende der siebziger Jahre richtete er zahlreiche kulturpolitische Veranstaltungen in Ost und West aus, u.a. das Konzert für den Frieden mit Harry Belafonte und Udo Lindenberg im Ostberliner Palast der Republik 1983. Seit Ende der achtziger Jahre ist er Redakteur bei Alexander Kluges Kulturmagazinen im Fernsehen.

75 Christa Wolf war von September 1992 bis Juni 1993 Scholar des Getty Center for the History of Art and the Humanities in Santa Monica, Kalifornien.

76 Wolf Biermann schrieb über Sascha Anderson, geb. 1953, Anderson war in den achtziger Jahren führendes Mitglied der alternativen Literatur- und Künstlerszene um den Berliner Prenzlauer Berg, seit 1975 war er IM der Staatssicherheit, 1986 siedelte er nach Westberlin über, arbeitete aber auch von dort weiter für die Stasi, u.a. bespitzelte er Jana Simons Ziehvater Jan (Honza) Faktor. Wolf Biermann enttarnte Sascha Anderson am 19. Oktober 1991 in seiner Rede zum Büchner-Preis und nannte ihn »Sascha Arschloch«, der *Spiegel* brachte kurz darauf die Geschichte dazu.

77 Christa Wolf, »Eine Auskunft«, in: *Berliner Zeitung* vom 21. Januar 1993

78 Paul Parin (1916–2009), Psychoanalytiker und Schriftsteller, betrieb seit 1952 eine Praxis für Psychoanalyse in Zürich, mit Christa und Gerhard Wolf befreundet.

79 Christa Wolf hat die IM-Akte veröffentlicht in *Akteneinsicht Christa Wolf. Zerrspiegel und Dialog. Eine Dokumentation*, herausgegeben von Hermann Vinke, 1993.

80 Christa Wolf war Mitglied der Unabhängigen Untersuchungskommission zu den Ereignissen vom 7./8. November 1989 in Berlin, die Übergriffe von Polizei und Staatsorganen gegen Demonstranten recherchierte.

81 Lothar Trolle, geb. 1944, Dramatiker

82 In der Nacht vom 7. (dem 40. Jahrestag der DDR-Staatsgründung) zum 8. Oktober 1989 wurden mehr als 1000 Menschen von der Staatssicherheit und der Polizei verhaftet, sie hatten friedlich demonstriert. Zum Teil wurden sie mehrere Wochen festgehalten und misshandelt.

83 Der Artikel von Jana Simon handelt von einem deutschen Anwalt, der u.a. den damaligen US-Verteidigungsminister Donald Rumsfeld in Deutschland wegen Folter in Abu Ghraib und Guantánamo verklagen will. Erschienen

am 9. November 2006 in der *Zeit*. www.zeit.de/2006/46/Einer_gegen_Rumsfeld

84 Gemeint ist das Buch von Michael Maar *Solus Rex. Die schöne böse Welt des Vladimir Nabokov*, Berlin Verlag, 2007

85 Irina Liebmann, geb. 1943 in Moskau, Schriftstellerin, in ihrem Buch *Wäre es schön? Es wäre schön! Mein Vater Rudolf Herrnstadt* verarbeitet sie die Geschichte ihres Vaters, der nach dem Zweiten Weltkrieg die Presse in Ostdeutschland mit aufbaute, u.a. die *Berliner Zeitung*. 1953 kritisierte er die Politik der SED, verlor daraufhin alle Posten, wurde aus der Partei ausgeschlossen und nach Merseburg in Sachsen-Anhalt verbannt. Liebmann ging 1988 in den Westen.

86 Lawrence Wright, *Der Tod wird euch finden. Al-Qaida und der Weg zum 11. September*, DVA, München 2007

87 Helga Paris, geb. 1938, Fotografin, mit Gerd und Christa Wolf befreundet

88 Marianne Frisch, geb. 1939, Übersetzerin, von 1968 bis 1979 Ehefrau des Schriftstellers Max Frisch, mit Christa und Gerhard Wolf befreundet

89 Stefan Schütz, geb. 1944, Schriftsteller, siedelte 1980 in die Bundesrepublik über

90 Markus Wolf (1923–2006), leitete von 1952 bis 1986 den Auslandsnachrichtendienst der Staatssicherheit, Bruder von Konrad Wolf, emigrierte 1933 in die Schweiz, nach Frankreich, schließlich in die Sowjetunion, 1986 wurde er auf eigenen Wunsch von seiner Funktion bei der Staatssicherheit beurlaubt, auf der Demonstration am 4. November 1989 trat er als Redner auf, befürwortete die Reformen, warb aber auch für die Anerkennung der Stasimitarbeiter, dafür wurde er ausgepfiffen.

91 Ulrike und Gerd Poppe, DDR-Oppositionelle, Ulrike Poppe, geb. 1953, war 1982 eine der Mitbegründerinnen

des Netzwerkes »Frauen für den Frieden«. Aufgrund ihrer oppositionellen Tätigkeit wurde sie 1982 verhaftet und kam in Untersuchungshaft nach Berlin-Hohenschönhausen, später Mitbegründerin von Demokratie Jetzt. Seit 2010 ist sie die erste Brandenburger »Landesbeauftragte zur Aufarbeitung der Folgen der kommunistischen Diktatur«. Gerd Poppe, geb. 1941, gründete 1985 die Initiative für Frieden und Menschenrechte mit, gab mehrere illegale Publikationen heraus, nach dem Mauerfall Politiker bei Bündnis 90/Die Grünen.

92 Peter Weiss (1916–1982), Schriftsteller, emigrierte 1935 zunächst nach Großbritannien, dann in die Tschechoslowakei und 1940 schließlich nach Schweden, wo er danach hauptsächlich lebte.

93 Günter de Bruyn, *Zwischenbilanz* (1992) und *Vierzig Jahre* (1996), erschienen im Fischer Verlag

94 Die neun ausgeschlossenen Schriftsteller waren: Kurt Bartsch, Adolf Endler, Stefan Heym, Karl-Heinz Jakobs, Klaus Poche, Klaus Schlesinger, Rolf Schneider, Dieter Schubert und Joachim Seyppel.

95 Stefan Heym (1913–2001), Schriftsteller, floh 1933 in die Tschechoslowakei, 1935 ging er in die USA, kämpfte im Zweiten Weltkrieg auf Seiten der Amerikaner, 1952 verließ er die USA und siedelte 1953 in die DDR über. Heym gehörte zu den Erstunterzeichnern des Briefes gegen die Biermann-Ausbürgerung. 1979 wurde er wegen einer Veröffentlichung im Westen verurteilt und aus dem Schriftstellerverband ausgeschlossen.

96 Hermann Kant, geb. 1926, Schriftsteller, sein bekanntes Buch *Die Aula* war in der DDR Schullektüre, 1978 bis 1990 Präsident des DDR-Schriftstellerverbandes, von 1986 bis 1989 Mitglied des ZKs der SED.

97 Maria Sommer, geb. 1922, Leiterin der Kiepenheuer

Bühnenvertriebs GmbH Berlin, vertritt die Medienrechte von Christa Wolf, mit Christa und Gerhard Wolf eng befreundet.

98 Ellen und Jörg Jannings, er: geb. 1930, Hörspielregisseur, leitete bis 1993 die Abteilung Künstlerisches Wort des RIAS.

99 Ulla Berkéwicz, geb. 1948, Geschäftsführerin des Suhrkamp Verlages und Verlegerin des Werkes von Christa Wolf

100 Michael Wolffsohn, geb. 1947, Historiker und Publizist, unterrichtete bis 2012 an der Universität der Bundeswehr Neuere Geschichte.

101 Dieter Noll (1927–2008), Schriftsteller, befürwortete die Ausbürgerung Wolf Biermanns, schrieb 1979, deshalb einen Brief an Erich Honecker. Nolls Roman *Die Abenteuer des Werner Holt* war in der DDR Schullektüre.

102 Kurt Hager (1912–1998), Mitglied des ZK und des Politbüros der SED, galt als Chefideologe und oberster Kulturbeauftragter der Partei.

103 Günter Kunert, geb. 1929, Schriftsteller, verließ 1979 die DDR und siedelte in die Bundesrepublik über.

104 Jurek Becker (1937–1997), Schriftsteller und Drehbuchautor, war unter den Nazis als Kind mit seiner Mutter im KZ, nach dem Krieg lebte er in Ostberlin. Sein Buch *Jakob der Lügner* wurde 1974 verfilmt. Er gehörte 1976 zu den Erstunterzeichnern des Protestbriefes gegen die Biermann-Ausbürgerung, ging 1977 in den Westen, schrieb dort u. a. die Drehbücher zur TV-Serie *Liebling Kreuzberg*.

105 Stefan Heym beschreibt die Beobachtung und Verfolgung durch die Staatssicherheit in seinem Buch *Der Winter unseres Missvergnügens. Aus den Aufzeichnungen des* OV *Diversant*, München 1996.

106 Walter Jens (1923–2013), Schriftsteller, war von 1963 bis

1988 Professor für Rhetorik in Tübingen, 1989 bis 1997 Präsident der Akademie der Künste Berlin, 2003 wurde bekannt, dass er als Jugendlicher als NSDAP-Mitglied geführt wurde. Jens stritt ab, davon gewusst zu haben.

107 Gerhard Wolf meint das Buch von Jana Simon *Denn wir sind anders. Die Geschichte des Felix S.*, Berlin 2002.

108 Josef Joffe, geb. 1944, Publizist, seit 2000 Herausgeber der *Zeit*

109 Bernd Ulrich, geb. 1960, Leiter des Politikressorts und stellv. Chefredakteur der *Zeit*

110 Marcel Beyer, geb. 1965, Schriftsteller, lebt seit 1996 in Dresden, Gerhard Wolf spielt auf Beyers Roman *Kaltenburg* an, der 2008 bei Suhrkamp erschien.

111 Giovanni di Lorenzo, geb. 1959, Journalist, seit 2004 Chefredakteur der *Zeit*, vorher war er Chefredakteur des Berliner *Tagesspiegel.*

112 *Das Delta der Venus* von Anaïs Nin, Sammelband mit erotischen Geschichten, der erstmals 1977 erschien. Nin (1903–1977), französische Schriftstellerin, war die Geliebte von Henry Miller.

113 *Mann und Frau intim – Fragen des gesunden und des gestörten Geschlechtslebens* von Siegfried Schnabel erschien 1969 erstmalig in der DDR und wurde mehr als eine Million Mal verkauft.

114 Alexander S. Neill, *Theorie und Praxis der antiautoritären Erziehung – das Beispiel Summerhill*, Reinbek 1969

115 Anton Makarenko (1888–1939), galt als der bedeutendste sowjetische Pädagoge, leitete in den zwanziger Jahren ein Heim für verwahrloste oder straffällig gewordene Jugendliche. Ein wesentlicher Aspekt seiner Arbeit bestand in der Resozialisierung dieser Jugendlichen, unter seiner Leitung entstand die erste koedukative pädagogische Einrichtung der Sowjetunion. 1927 gründete Makarenko

die Kolonie F. E. Dserschinski, die Kolonie war eine Einrichtung der sowjetischen Geheimpolizei und entwickelte sich zu deren Nachwuchsschmiede. Makarenkos Form der Kollektiverziehung zielte auf eine Erziehung ohne Prügelstrafe und ohne hierarchische Autorität der Lehrer hin zu einer »allseitig entwickelten Persönlichkeit«, in den dreißiger Jahren wurden seine Erziehungsmethoden stark von sozialistischer Pädagogik und dogmatischen Vorgaben geprägt.

116 Gerhard Wolf gründete 1990 den Verlag Gerhard Wolf Janus press, in dem er nicht nur Autoren, sondern auch Bücher und Grafik von bildenden Künstlern verlegt.

117 Jana Simon hat gemeinsam mit der Autorin Kathi Liers ein Drehbuch geschrieben, *Das Schweigen von nebenan,* nach einer wahren Geschichte eines Jungen, der in der Schule von seinen Mitschülern gemobbt und gequält wird. Der Film wurde im Frühjahr 2013 vom WDR und der Kineo-Filmproduktion abgedreht und wird 2014 in der ARD ausgestrahlt. Das zweite Projekt ist die Verfilmung von Jana Simons Buch *Denn wir sind anders*. Im Augenblick arbeiten der Regisseur Matthias Glasner und der Schauspieler Jürgen Vogel an einem Drehbuch.

118 Alex Wedding, Pseudonym für Grete Weiskopf, (1905–1966), Schriftstellerin, floh 1933 gemeinsam mit ihrem Mann zuerst nach Prag, später in die USA, ab 1953 lebte sie in der DDR, ihr bekanntestes Buch ist *Ede und Unku*, das von der DEFA verfilmt wurde.

119 Karl Dietrich Wolff, geb. 1943, Verleger, 1968 Vorsitzender des SDS, gründete mehrere Verlage.

120 Helga Königsdorf, geb. 1938, Schriftstellerin und Mathematikerin

121 Porträt über Eva Herman, »Evas Waffen«, in: *Die Zeit* vom 7. September 2006, www.zeit.de/2006/37/Herman-37

122 Jana Simon spielt mit dem Begriff »Backlash« auf das Buch von Susan Faludi an, in dem Faludi einen Rückschlag gegen den Feminismus durch die Verbreitung negativer Stereotypen von berufstätigen Frauen beschreibt: Susan Faludi, *Backlash, The Undeclared War Against American Women*, 1991.

123 Erich Fried (1921–1988), österreichischer Lyriker und Essayist

124 Deirdre Bair, *Simone de Beauvoir, A Biography*, Cape, 1990

125 Die Erzählung *August* schenkte Christa Wolf ihrem Mann 2011 zur Diamantenhochzeit. Sie erschien nach ihrem Tod 2012 bei Suhrkamp. Die Erzählung spielt kurz nach dem Zweiten Weltkrieg in einer Lungenheilanstalt. Christa Wolf litt nach dem Krieg an Tuberkulose.

126 Ingo Schulze, geb. 1962, Schriftsteller, Gerhard Wolf meint Schulzes Beitrag »Kapitalismus braucht keine Demokratie, Thesen gegen die Ausplünderung der Gesellschaft« in der *Süddeutschen Zeitung* vom 12. Januar 2012.

127 Gerhard Wolf, *Der arme Hölderlin*, Berlin 1972, und *Johannes Bobrowski, Leben und Werk*, Berlin 1967, sowie: *Beschreibung eines Zimmers, 15 Kapitel über Johannes Bobrowski*, Berlin 1971

128 Die Frankfurter Poetik-Vorlesungen finden seit 1959 an der Frankfurter Johann-Wolfgang-Goethe-Universität statt. Ein Autor beschäftigt sich ein Semester lang mit Fragen der Poetik. Christa Wolf hielt die Vorlesung 1982 zu dem Thema: »Voraussetzungen einer Erzählung: Kassandra«. Der Suhrkamp Verlag begründete und unterstützt die Vorlesungsreihe.

129 Gerald J. Trageiser, geb. 1942, leitete von 1995 bis 2004 den Luchterhand Literaturverlag.

130 Peter Handke, geb. 1942, österreichischer Schriftsteller, die Veröffentlichung seines Reiseberichts *Eine winterliche*

Reise zu den Flüssen Donau, Save, Morawa und Drina oder Gerechtigkeit für Serbien führte 1996 zu heftigen Kontroversen. Kritiker warfen Handke Verharmlosung der serbischen Kriegsverbrechen vor, 2004 unterzeichnete er einen Künstlerappell mit, der Slobodan Milošević verteidigte. 2010 trat er bei dessen Beerdigung als Grabredner auf.

131 Uwe Tellkamp, geb. 1968, Schriftsteller und Arzt

132 Uwe Timm, geb. 1940, Schriftsteller

133 Uwe Johnson (1934–1984), Schriftsteller, zog 1959 nach Westberlin.

134 Zum Anlass der Preisrede von Christa Wolf auf den Dissidenten Thomas Brasch veröffentlichte Marcel Reich-Ranicki in der *Frankfurter Allgemeinen Zeitung* einen Artikel unter der Überschrift »Macht Verfolgung kreativ?«. Darin greift er Christa Wolf persönlich an, wirft ihr Heuchelei vor und bezeichnet sie als ein Aushängeschild der DDR-Diktatur.

135 Carlfriedrich Claus (1930–1998), Künstler, war mit Christa und Gerhard Wolf befreundet, zahlreiche Titel zu Claus sind im Verlag Gerhard Wolf Janus press erschienen.

136 Gerhard Wolf bezieht sich auf das Buch von Natalia Ginzburg *Ein Mann und eine Frau*, Suhrkamp, 1994.

Danken möchte ich meinen Großeltern, meinem Mann, meinen Eltern und meiner ganzen Familie, Barbara Wenner, Siv Bublitz, Bettina Eltner, Anna Scheer, Christian Schertz und der *Zeit*.

Markus Gabriel

Warum es die Welt nicht gibt

272 Seiten. Gebunden mit Schutzumschlag
ISBN 978-3-550-08010-4
www.ullstein-verlag.de

»Eine großartige Gedankenübung.« *Slavoj Žižek*

Woher kommen wir? Sind wir nur eine Anhäufung von Elementarteilchen in einem riesigen Weltbehälter? Und was soll das Ganze eigentlich?

Die Welt gibt es nicht. Aber das bedeutet nicht, dass es überhaupt nichts gibt. Mit Freude an geistreichen Gedankenspielen, Sprachwitz und Mut zur Provokation legt der Philosoph Markus Gabriel dar, dass es zwar nichts gibt, was es nicht gibt – die Welt aber unvollständig ist. Wobei noch längst nicht alles gut ist, nur weil es alles gibt. Und Humor hilft durchaus dabei, sich mit den Abgründen des menschlichen Seins auseinanderzusetzen.

ullstein